A COZINHA DA REVOLUÇÃO

MA JIAN

A COZINHA DA REVOLUÇÃO

Tradução de
HELOÍSA MOURÃO

EDITORA RECORD
RIO DE JANEIRO • SÃO PAULO
2011

CIP-BRASIL. CATALOGAÇÃO-NA-FONTE
SINDICATO NACIONAL DOS EDITORES DE LIVROS, RJ

Ma, Jian, 1953-
M11c A cozinha da revolução / Ma Jian; tradução de Heloísa Mourão. – Rio de Janeiro: Record, 2011.

Tradução de: The noodle maker
ISBN 978-85-01-08282-4

1. Romance chinês. I. Mourão, Heloísa. II. Título.

10-1607 CDD: 895.13
CDU: 821.581-3

Título original em inglês:
THE NOODLE MAKER

Texto revisado segundo o novo Acordo Ortográfico da Língua Portuguesa.

Direitos exclusivos de publicação em língua portuguesa somente para o Brasil adquiridos pela
EDITORA RECORD LTDA.
Rua Argentina, 171 – Rio de Janeiro, RJ – 20921-380 – Tel.: 2585-2000,
que se reserva a propriedade literária desta tradução.

Impresso no Brasil

ISBN 978-85-01-08282-4

Para Jack Ma

Sumário

O escritor profissional 9

O doador de sangue profissional 13

A enlevada 31

O suicídio *ou* A atriz 63

A possuidora *ou* O possuído 101

O escritor de rua *ou* O saco plástico no ar 157

Que o espelho seja o juiz *ou* Nu 185

O abandonador *ou* A abandonada 201

O cão tranquilo *ou* A testemunha 211

O escritor profissional

A sala dá vista para a janela de uma cozinha no prédio em frente. Ao meio-dia ou ao entardecer, "ondas de deliciosos aromas de fritura afagam ou, às vezes, invadem meu nariz e estômago". O escritor profissional sempre fala com esse nível de precisão durante suas conversas com o doador de sangue profissional.

Agora, o escritor distingue cheiros de, no mínimo, três cozinhas abaixo. Morando no topo de um prédio de oito andares, ele não tem outra escolha a não ser habituar-se aos odores. Contanto que o casal de Hubei não esteja envenenando o ar com suas pimentas refogadas (o escritor está convencido de que esses dois são os culpados), ele pode se recostar e desfrutar os aromas que se elevam de diversos andares abaixo. Sempre que ele abre a janela e deixa entrar esses cheiros, seus olhos se desviam do original em branco sobre a mesa e ele mergulha num transe.

A cozinha em frente é muito de seu gosto, e, quando não está num dia especialmente exigente, ele consegue passar toda uma tarde se deliciando com a fragrância do caldo de cabeça de peixe dos vizinhos. Ele via aquelas grandes cabeças de peixe no mercado; só era preciso comprar metade de uma cabeça para fazer uma panela de sopa. Quando a mulher de meia-idade da cozinha em frente joga em sua wok os cogumelos secos da marca Superior, recém-comprados no supermercado local, o escritor profissional (cerca de 40 anos, ligeiramente acima do peso, solteiro) é mais uma vez dominado pelos doces aromas. De vez em quando, à luz fraca, ele tem o vislumbre de um homem atarracado que aparece e desaparece entre os objetos da cozinha e panos de prato, entre as salsichas e presuntos defumados pendurados no teto. Se o exaustor da cozinha não estivesse fazendo tanto barulho, o escritor conseguiria ouvir a conversa deles, e ao menos poderia descobrir se o homenzinho era esposo ou filho da mulher, ou um comerciante judeu de Chaozhou. Essa questão por vezes cruza sua mente quando ele encara a página em branco sobre a mesa. Hoje, antes da chegada de seu amigo doador de sangue, ele cospe furiosos insultos para a cozinha.

— Gengibre! — rosna ele com impaciência. — Idiotas de merda! Não sabem que têm que colocar gengibre no caldo de cabeça de peixe?

Nesta tarde de domingo, pouco depois, o doador de sangue chega ao apartamento do escritor como de costume. Ouvindo o amigo se esforçando e arfando para subir a escada, o escritor percebe que ele acabou de doar sangue. De fato, o doador está contente como um poeta enquanto se arrasta escada acima, pois hoje trouxe consigo vinho (geralmente ele traz uma garrafa de vinho medicinal de Anhui ou Hubei), ganso assado, ovos (verdadeiros ovos vermelhos) e a iguaria favorita do escritor: um pote de favas temperadas. Logo os amigos estarão entornando o vinho e começando a revirar os fragmentos de suas vidas. Enquanto desfrutam do prazer de ter comida deslizando para dentro dos estômagos, eles abrirão seus corações um para o outro e depois se ofenderão mutuamente. Em seguida, o doador de sangue tentará provocar o escritor a xingá-lo. Ele adora ouvir o amigo praguejando; o linguajar chulo lhe oferece um conforto espiritual extremamente raro numa vida baseada em doações de sangue.

— Puta que pariu! — ele ouvirá o escritor resmungando quando o álcool lhe subir à cabeça. — Você está perdendo seu tempo com aqueles vagabundos de merda, seu otário infeliz...

O escritor profissional abre a porta e deixa entrar o doador de sangue. Após um rápido abraço, eles dispõem a comida em pratos, abrem a garrafa de vinho e espalham folhas de papel ofício para depositar os ossos descartados. Cuidadosamente, o escritor rasga uma folha ao meio para fazer dois guardanapos: um para suas mãos, outro para a boca. (Seu avô fazia o mesmo quando estava vivo, mas usava um pedaço de pano velho em vez de papel.) Eles tomam seus lugares à mesa. O escritor afunda em sua poltrona giratória de couro negro, emprestada pelo Estado; o doador de sangue se instala num banco de plástico.

— Está sofrendo, meu amigo? — pergunta o doador de sangue, na esperança de tirar o escritor de seu retraimento. — Na semana passada, você disse que a vida era um inferno. Estou certo?

— Eu achava que a vida era um inferno no ano passado. Na semana passada, eu achava que era intolerável. Hoje eu só acho que é um saco. Talvez amanhã eu desista desse maldito livro, se ainda não tiver conseguido colocar as palavras na página. — A voz do escritor profissional sempre fica rouca antes que o vinho comece a fazer efeito. Soa como se ele estivesse fingindo.

— Mas você odeia aquela gente! Disse que eles são ralé, um lixo imprestável. E também disse que eu sou a escória da Terra. Por que perde seu tempo escrevendo sobre isso? — O rosto do doador de sangue continua tão pálido como quando ele entrou na sala.

— Quero transformar aquelas vidas numa obra de arte, mesmo sabendo muito bem que eles jamais se darão ao trabalho de ler. — O escritor olha em torno da sala, ou talvez esteja apenas sacudindo a cabeça. — Imbecis de uma figa! — resmunga. — Sempre se esquecem de colocar gengibre no caldo de cabeça de peixe.

O doador de sangue profissional

Sem esperar para erguer o copo num brinde, o doador de sangue pega o pedaço mais gordo de ganso (dorso traseiro, talvez) com pauzinhos e o atira na boca. Doador de sangue por profissão, ele desenvolveu uma capacidade instintiva de selecionar a comida mais nutritiva sobre a mesa, podendo extrair cada gota de proteína de cada naco de comida, mastigando-o até o último fiapo.

— Você tem um olfato muito aguçado — diz o doador de sangue, engolindo o primeiro bocado.

— Não entendo aqueles dois — murmura o escritor. — Eles vivem correndo ali dentro, numa pressa terrível. Devem ter muita coisa para fazer.

— Faz sete anos que estou nisso. — O doador de sangue cospe um fragmento de osso quebrado. Uma massa de sangue escuro cai do tutano e se aglutina ao papel branco.

— Eu também — replica o escritor profissional, devorando seu pedaço de ganso. Enquanto ele mastiga com vontade e joga a cabeça para trás para engolir, os acúmulos de gordura da meia-idade sacodem sob seu queixo. Observado a distância, é como se ele estivesse soluçando. O doador de sangue sabe que o rosto do escritor logo tomará a aparência de uma noz descascada, como sempre acontece quando o álcool começa a fazer efeito.

— Eu não preciso sobrecarregar meu cérebro para conseguir esta comida aqui na mesa — diz o doador de sangue, em provocação. — Mesmo assim, sinto uma grande dor aqui — acrescenta, colocando a mão no peito. O doador repetira esta última frase muitas vezes ao longo dos sete anos passados. Ele a aprendeu com o escritor: após a segunda doação de sangue do amigo, o escritor o segurou em seus braços e disse, soluçando: "Sinto uma grande dor aqui."

— É preciso acrescentar fatias finas de gengibre ao caldo de cabeça de peixe para tirar o gosto amargo do fundo. Todo mundo sabe disso! — O escritor baixa a cabeça e cospe um osso quebrado sobre o papel. — Meu livro não está indo a lugar algum. Tenho que recomeçar do zero.

O doador observa a calva do escritor: delgados fios de sabedoria brotando de uma careca lustrosa.

O doador de sangue é conhecido como Vlazerim, um apelido que ganhou durante a Revolução Cultural, quando foi enviado com o escritor e seus colegas da "juventude urbana" a um campo de reeducação na zona rural para "aprender com os camponeses". Vlazerim era o soturno herói de um filme albanês de propaganda comunista. Na noite em que sua equipe de trabalho assistiu ao filme, ele gritou em seu sono, "Ei, Vlazerim!", e desde então o apelido pegou. Infelizmente, ele não é tão alto e forte quanto o herói do filme. Quando a Revolução Cultural acabou, ele voltou para sua cidade e tentou arranjar um emprego, mas, já que não tinha qualquer habilidade particular ou contato pessoal, teve dificuldade de encontrar um serviço adequado. Após dois anos vivendo nas ruas, ele finalmente arranjou um emprego no Distrito Ocidental, retirando excrementos dos banheiros públicos. Infelizmente, ninguém lhe disse que, quando se carrega merda, é preciso apoiar uma tábua de madeira sobre o balde para evitar que ele sacuda. Por mais que tentasse, Vlazerim nunca conseguiu tirar o fedor de suas calças, e acabou por vendê-las a um camponês por 1,5 yuan.

Um dia, ele entrou nas longas filas de doadores de sangue da cidade e, pela primeira vez na vida, recebeu uma ração de comida equivalente a 45 yuans, uma autorização do médico para comprar fígado de porco e cupons para trocar por 3 quilos de ovos. Num único dia, ele recebeu tudo com que podia sonhar na vida. Quando voltou para casa e abriu a autorização do médico e os cupons de ração sobre a mesa, seus pais e a irmã mais velha subitamente o enxergaram sob nova luz. Ele logo se tornou o chefe da família. Quando recebeu um cupom para comprar uma bicicleta Fênix por ajudar uma fábrica de tecidos a cumprir sua cota de doações de sangue, sua fama se espalhou pelo distrito. Os vizinhos se reuniam em sua casa para papear sobre seus mais recentes sucessos. Três grandes fábricas no Distrito Ocidental emitiram identidades falsas para que ele pudesse doar sangue em nome de seus funcionários. Unidades de trabalho menores tentavam comprá-lo com vinho e cigarros, na esperança de que ele também as ajudasse, mas o doador jamais se deu ao trabalho de arriscar seu pescoço pelos outros.

Após sete anos de trabalho duro, Vlazerim agora é milionário. Seus bolsos estão lotados de prêmios e recompensas de fábricas estatais e empresas privadas. Ele tem cupons para trocar por ventiladores, televisões, relógios, carvão, gás e carne. Há alguns anos, ele e certos amigos criaram uma Agência de Recrutamento de Doadores de Sangue num banheiro público no centro da cidade. Eles posicionam sua mesa no pátio junto a uma poça de urina e colocam uma tábua entre a mesa e a poça para bloquear os respingos. À noite, eles prendem a mesa às grades com uma corrente de metal para que ninguém possa roubá-la. A agência paga apenas 3 yuans de aluguel mensal à chefia de limpeza local, e a única restrição ao negócio é a proibição de colocar uma placa. Na maioria dos dias, eles conseguem atrair e persuadir dez ou vinte pessoas na rua a entrar para a agência. Quando os novos recrutas terminam as formalidades, eles se dirigem ao hospital do outro lado da rua para doar sangue; depois, voltam ao banheiro público, entregam à agência metade do dinheiro ganho e levam o resto para casa. O doador de sangue reparte o lucro com seus colegas, mas sempre fica com a maior parte para si.

A agência é equipada com todos os materiais e documentos necessários para doar sangue. Eles têm pilhas de papéis, carimbos oficiais, cola, carteiras de identidade forjadas e fotografias para passaportes. Se o recruta está abaixo do peso, a agência pode encher seu estômago com água ou prender pesadas barras de metal às pernas. Se o recruta é muito baixo, a agência tem quatro pares de sapatos com saltos de diferentes tamanhos que empresta sem cobrar taxa. (Um homem certa vez roubou dois pares quando eles não estavam olhando. Os pares tinham saltos de 3 centímetros de altura — o suficiente para que uma criança de 12 anos passasse pela altura mínima exigida dos potenciais doadores pelo hospital.)

Os amigos chupam e mastigam a carne, transformando-a numa massa tenra. Do lado de fora, o dia se torna azul-escuro. É a atmosfera apagada e turva que se segue ao pôr do sol. Luzes se acendem nos arranha-céus; da janela, parece uma noite estrelada.

Os dois homens mastigam e engolem a comida, saboreando cada bocado. Suas vozes começam a soar cansadas.

O jantar custou o dobro do salário mensal do escritor profissional. É uma refeição apropriada, com carne de verdade. O escritor comera pouquíssima carne na infância. Sua mãe só podia fazer sopa se ele e os irmãos por acaso encontrassem um pedaço de toucinho na rua. O passado do doador de sangue foi mais privilegiado; no campo de reeducação, ele se gabava de ter comido carne 17 vezes na vida. Contudo, após um ano doando sangue, ele podia pagar pelo dobro dessa quantidade. A estratégia do primeiro-ministro Deng Xiaoping de abrir o país para o mundo exterior e instaurar a reforma econômica lançou o doador de sangue na rota do paraíso.

— No campo de reeducação, nós só comemos carne uma vez — diz o doador de sangue. — Eu me lembro da noite da véspera. Eu estava deitado na cama, incapaz de dormir. Não tinha comido nada durante todo o dia. O cozinheiro estava fritando a carne na cozinha e o cheiro subia direto para o nosso dormitório.

— Naquela época, eu venerava Gorki — comenta o escritor. — Também gostava daqueles livros do Gógol e do

Hans Andersen, que as autoridades confiscaram da biblioteca do condado.

— Você anda com uma aparência desgrenhada estes dias. Aposto que passou a semana inteira sem sair do apartamento. — O doador de sangue exala uma baforada de tabaco. Ele pode comprar seis pacotes de cigarros importados em troca de um cupom de televisão. — Diga, eu pareço amarelado e magro?

— Muito pelo contrário. Está viçoso e gorducho. — O escritor abre sua chaleira elétrica e observa os ovos que cozinham lá dentro. Uma das cascas quebrou, e um filete de clara serpenteia pela água como um peixe. — Haha! Um desastre é iminente — murmura, distraído, lembrando-se da trama de uma fábula que lera no dia anterior. — Veja esta casca de ovo quebrada. Os marinheiros naufragaram e o rei partiu em fuga... — Seu rosto agora lembra ainda mais uma noz, embora pareça estar sorrindo. Deve ser o álcool que gira por seu estômago.

Há pouco tempo, o secretário do Partido na Associação de Escritores local telefonou para o escritor profissional, passando-lhe um novo trabalho. Ele anunciou a decisão do Comitê Central do Partido de que a Campanha Nacional Aprendendo com Lei Feng — o abnegado soldado do Exército Popular de Libertação, que dedicou sua vida a servir à causa revolucionária e às necessidades do povo comum — estava programada para atingir um pico em março. O secretário designou o escritor para redigir um conto com o tema "Aprendendo com o Camarada Lei Feng".

— Encontre um Lei Feng moderno para mim — disse o secretário. — Alguém do mundo atual que tenha a mesma consciência socialista que Lei Feng tinha na década de 1960. "Procure a verdade nos fatos", como diz nosso primeiro-ministro. Faça com que ele ganhe vida nas páginas e termine a história com o herói perdendo a vida enquanto tenta salvar um camarada em apuros.

O escritor profissional desfaleceu, sentado diante de seu superior. Tentou manter os olhos abertos e forçar um sorriso, pois sabia que esta era a expressão que se esperava dele.

— Em que ano Lei Feng morreu? — perguntou o escritor. Ele sabia muito bem a resposta a essa pergunta; só estava querendo dar ao superior a chance de censurá-lo.

— Você realmente precisa me perguntar isso? É melhor refletir bem, Camarada Sheng. É óbvio que você ainda não abriu seu coração para Lei Feng.

— O Partido está em meu coração — respondeu o escritor.

— Hum. Bem, agora você tem uma chance de prová-lo para nós. O Partido o treinou para brandir sua pena, e agora chegou sua oportunidade de empunhá-la. Compreende? "Por mil dias treinamos nossos soldados, para usá-los em apenas uma batalha", diz o ditado. Chegou a hora de pagar suas dívidas para com o Partido. Deixarei os detalhes a seu encargo. Venha me procurar se houver qualquer problema. Mas, deixe-me avisá-lo, seu trabalho não cumpriu as expectativas no ano passado. Os títulos e conteúdos de seus contos foram pobres, e a postura política dos reformistas ficou ambígua. Você não deveria ter colocado os antigos oficiais do Partido nos papéis dos reacionários.

— No ano passado, os jornais informaram que os antigos oficiais eram muito conservadores e que o Partido desejava que eles abrandassem as rédeas e deixassem que os jovens oficiais tomassem o controle do processo de reforma.

— Bem, isso mudou este ano, não foi? Agora, quanto mais velho, mais reformista. "As vagas do rio Yang-Tsé são empurradas para a frente pelo que vem de trás", diz o ditado.

— Com que idade devo fazer meu Lei Feng? — perguntou o escritor, pegando seu caderno.

O secretário fez uma pausa.

— Você terá que decidir por si mesmo. Mas não demore muito. Exatamente agora, cada associação de escritores do país está se preparando para esta campanha, convocando seus melhores escritores para a tarefa. Faça o favor de não ficar para trás. — Ele então parou e fitou o escritor diretamente nos olhos. — Se você inventar uma boa história sobre um novo Lei Feng, os órgãos do Partido o enviarão um formulário para sua inclusão no *Grande dicionário de escritores chineses.*

— Meu próprio lugar na história! — exclamou o escritor ao amigo. — Só um conto e posso entrar no *Grande dicionário de escritores chineses.*

O doador meneia a cabeça em aprovação.

— Você se tornará imortal.

— Preciso encontrar um Lei Feng vivo, mas não consigo pensar em alguém adequado. — O escritor recorda como pegou seu diário no primeiro dia no campo de reeducação e escreveu na primeira página: "Assim como Lei Feng, eu serei um parafuso que nunca enferruja. Onde quer que o Partido decida me colocar, eu brilharei." Ele lembra que Lei Feng usara o mesmo par de meias por cinco anos, remendando-as sem parar, preferindo dar seu dinheiro aos pobres em vez de comprar meias novas. O escritor espreme seu cérebro, tentando pensar em algum conhecido que tenha as mesmas qualidades abnegadas e heroicas, mas tudo que lhe vem à mente são personagens para seu romance por escrever: um jovem empreendedor que dirige um crematório particular; um imigrante ilegal que escreve cartas para analfabetos; um pai que passa a vida tentando se livrar da filha retardada...

São pessoas que ele conhece, sobre quem leu ou que vê todos os dias nas ruas. São pessoas que compreende, pessoas sobre as quais escreveria se tivesse coragem. Suas vidas são tão infelizes e restritas quanto a do próprio escritor. Mas ele sabe perfeitamente que, se escrevesse sobre esses personagens tristes e fracos, seus superiores o considerariam inadequado para o posto de escritor profissional. Ele perderia o salário do Estado, o apartamento, a filiação na Associação dos Escritores e qualquer chance de ser incluído na enciclopédia literária.

Os nacos de carne de ganso são suavemente massageados pelos sucos digestivos nos estômagos dos amigos. Agora os dois parecem mais à vontade.

— Os ovos estão prontos — diz o doador de sangue. — Você vai entrar no *Grande dicionário*. Você é um escritor, a consciência de nossa geração. Mas olhe para mim! Eu salvei centenas de vidas doando sangue, mas o que tenho a mostrar por isso? Eu poderia morrer amanhã e ninguém saberia. A menos que você decida escrever a meu respeito, claro...

— Sua profissão é desprezível. É degenerada. Só prova que a natureza humana é essencialmente maligna.

— Ganso assado não dá em árvores, sabia? — O doador de sangue aponta para os pedaços de ossos cuspidos no papel ofício. — Se não fosse por mim, os bancos nacionais de sangue estariam vazios. Eu sequei minhas veias por este país.

— Eles ainda não colocaram gengibre no caldo de cabeça de peixe — resmunga o escritor.

— Se não fosse por mim, este país estaria acabado!

— Estrangeiros doam sangue de graça — retruca o escritor. — Você é uma fraude, um falso filantropo.

— Sou mais verdadeiro que você — devolve o doador de sangue, metendo o dedo na ferida. Ao longo dos anos, ele aprendeu pouco a pouco a falar a língua do escritor e onde dar suas punhaladas.

— Agora o rei está em apuros! — O escritor ri para si mesmo, recostando-se em sua poltrona. — Os marinheiros estão subindo a praia...

— Os chefes das fábricas dependem de nós para cumprir suas cotas de doação de sangue. Se seus próprios empregados doarem sangue, eles terão que gastar milhares de yuans por ano em auxílio-doença e licenças de repouso. Nós só recebemos dinheiro e nunca pedimos licenças de repouso. Muitas fábricas receberam o título de "empreendimentos avançados" devido ao sangue que nós doamos em seu nome. Pois, então, eu sou um "doador de sangue avançado", um abnegado Lei Feng dedicado à causa do povo. Você diz que os estrangeiros doam sangue de graça. Bem, se o governo se desse ao trabalho de me arranjar um emprego decente, eu também doaria sangue de graça.

O queixo do escritor desaba.

— Você! Um Lei Feng vivo! Tudo bem, escreverei sobre você: o doador de sangue redentor do povo. O novo Lei Feng. Mas o problema é que você ganha dinheiro com isso.

— E daí? — responde o doador de sangue, recusando-se a deixar escapar a chance de conquistar a fama. — Sou mais Lei Feng que o próprio Lei Feng! Se escrever a meu respeito, você não precisará ter o trabalho de "Integrar-se com as Massas" ou "Aprender sobre a Vida por Experiência Pessoal". Eu doei sangue duas vezes num dia para ajudar um homem que recebeu ordem do Partido para doar sangue. Nem Lei Feng teria feito isso. E, quanto a todas as outras boas ações que fiz no passado, bem, você já sabe delas. — O doador pega a garrafa de vinho medicinal no centro da mesa, derrama algumas gotas para o escritor e esvazia o resto em seu próprio copo. Depois, ele se ergue da mesa e vai buscar uma caixa de fósforos. — Você sempre me prometeu que escreveria a meu respeito — continua, acendendo um cigarro. — Se não fosse por isso, eu já teria largado este trabalho há séculos.

— Você entende alguma coisa do cérebro? — pergunta o escritor, inexpressivamente. — Meus pensamentos parecem chegar a parágrafos desconjuntados, nunca estão ligados. Eles aparecem em minha mente e se revelam sem reservas. Não dão a mínima para mim, embora eu dependa deles para sobreviver. Em contrapartida, você sempre esteve enraizado no mundo real, e ao longo dos anos me influenciou e me trouxe de volta à terra. Quem sabe? Amanhã talvez até eu comece a doar sangue. Mas eu... — o escritor tira uma baforada do cigarro e encara o doador de sangue sentando na sua frente — ...eu também o influenciei. Você absorveu cada palavra de crítica que lhe atirei no passado e agora as emprega contra mim. Talvez você seja aquele que terminará nos livros de história. Você e seu bando.

— Eu não como tanto hoje em dia — comenta o doador de sangue. — Agora levo o dobro do tempo para subir as escadas. Meus movimentos estão desajeitados.

— Você está em melhor forma que eu. No campo de reeducação, você fazia corpo mole. Sempre se fingia de doente, jogado na cama, enquanto o resto de nós saía para trabalhar. — Um tom amargo penetra a voz do escritor, como sempre ocorre quando a primeira garrafa de vinho é terminada. Ele pensa consigo: *Minha mente está cheia de histórias. Mas não tenho a menor ideia de como juntar os pedaços. Preciso estar com gente. Preciso sair e conversar com outras pessoas para poder alcançar uma compreensão mais profunda.*

— Você traga litros de água antes de doar sangue — acrescenta o escritor, após uma longa pausa. — Desse jeito, pode acabar fazendo mal a alguém.

— Só fiz isso uma vez. O que os outros fazem é problema deles. Hoje em dia, a maioria dos recrutas amarra barras de metal nas pernas.

— Você realmente nunca cresceu.

O doador de sangue fita o escritor diretamente, tentando avaliar a seriedade da afirmação. Mas os olhos do escritor estão escondidos sob seus óculos, e não há emoção em sua voz.

— Você é completamente egocêntrico — continua o escritor. — Nunca dá a mínima para o mundo à sua volta. — Pegando uma segunda garrafa de vinho, ele pensa consigo mesmo: *No fim das contas, Lei Feng é um homem morto, como qualquer outro. Todos são iguais na morte. Qual é a diferença entre o general Cao Cao, o marechal Liu Bei e o Camarada Lei Feng? São só um bando de homens mortos, nada mais...*

O doador de sangue olha para a boca do escritor e depois para as orelhas. Ele sabe que aquela boca é o que o atrai a esta sala. No campo de reeducação, ele e os outros jovens urbanos se sentavam em torno do escritor e pregavam os olhos em sua boca, esperando para ouvir o que sairia dela.

— Você conseguiria ser completamente abnegado e dedicado ao povo algum dia? — pergunta o escritor com desdém. A pergunta parece dirigir-se tanto ao doador de sangue quanto a si mesmo.

— Eu me recuso a ser escravo de qualquer um. A constituição afirma que todos os homens são iguais, então por que eu deveria me rebaixar e me sacrificar pelos outros? — O doador de sangue abandonou seu tom obsequioso. É evidente que ele desistiu de tentar persuadir o amigo a escrever a seu respeito.

O escritor permanece em silêncio. Ele sabe que sua vida se dedica quase inteiramente ao Partido. Contudo, não faz a menor ideia de quem é o Partido. Ele sabe que o Partido já existia antes de seu nascimento e que controlou toda a sua vida. Cada uma de suas partes pertence ao Partido. O Partido lhe disse para escrever romances. Se quisesse, também poderia lhe dar ordens de morrer — ele não teria qualquer escolha no assunto. O doador troca seu sangue por comida; por sua vez, o escritor troca sua mente. Ele lembra a postura do doador de sangue enquanto engole o ganso assado: todo o seu corpo absorto no ato de comer, a mente focada na necessidade de se alimentar, na necessidade de sobreviver. Quando o próprio escritor mordeu o naco de peito de ganso, deixou escapar uma bola de gordura que escorreu por sua camisa e caiu sobre a mesa.

— Você é um animal — replica o escritor, descascando um ovo cozido.

O doador de sangue lhe dirige um olhar de desprezo.

— Quando fomos enviados para o campo, você falava sobre o "Sublime". Até tagarelou sobre aquele cara, Jesus. Mas agora, olhe para você! Passou o dia inteiro só esperando que eu chegasse e colocasse carne em sua mesa. Você não consegue comprar muita comida com o dinheiro que lhe pagam por seus pensamentos profundos, consegue? — O doador de sangue pega um ovo e depois empurra o prato de volta na direção das garrafas no centro da mesa. Ele pega uma pitada de sal no pote a seu lado, remove toda a casca quente e esfrega o sal sobre a superfície branca e lustrosa do ovo. — Eu recebo o triplo de seu salário mensal por apenas uma doação de sangue. Se você considerar o que põe em seu trabalho e o que extrai dele, não está indo muito bem, está? Ou, para colocar de outra forma, só porque sou doador de sangue profissional e você é escritor profissional, isso não significa que você é melhor que eu.

Repugnado, o escritor observa a boca do doador de sangue, com uma gema de ovo movimentando-se no interior. Ele sempre adota esse olhar desaprovador quando está de barriga cheia.

— Se todo mundo tivesse que gostar de você — diz o escritor —, este país estaria arruinado.

— Não tenha tanta certeza. Você também é doador de sangue. Estou melhor que você pelo fato de que meu sangue salva vidas e me traz dinheiro e respeito. Mas o que você ganhou por seu suor e sangue, por todo esse gasto de massa cinzenta? Nada. Seu salário só é suficiente para mantê-lo respirando. Você depende do cheiro da comida de seus vizinhos para passar o dia. Que vida é essa? Você fala de Deus, de sua necessidade de descobrir a verdade, mas que ajuda esse Deus já lhe ofereceu?

— Você só se interessa por comida. O que sabe sobre a verdade? — A expressão do escritor agora é calma e comedida. — Passarei o resto da minha vida em silenciosa meditação. Os sábios vivem com uma refeição por dia, o homem mediano com duas. Eu sobreviverei de...

— Todo mundo precisa de três refeições completas por dia.

— Só animais comem três refeições por dia — devolve o escritor com convicção. — Não sou exigente com aquilo que como. Não tivemos caldo de cabeça de peixe esta noite, mas eu não reclamei, não foi?

— Na verdade, três refeições por dia não chegam nem perto do suficiente para mim. O que isso me torna, então?

— Uma besta — retruca o escritor. Ele inala uma lufada do ar fragrante e diz para si: *Isso cheira a cogumelos defumados. Talvez, adicionando os cogumelos ao caldo de cabeça de peixe, seja possível deixar o gengibre de fora.* — Você vive dos fluidos de seu corpo — continua —, então deve ser um bicho.

— Se você não começar a comer apropriadamente, vai virar um monte de tofu seco. — O doador de sangue observa os ombros curvados do escritor e seu rosto amarelado e prostrado. — Logo você pesará menos que uma folha de papel e depois desaparecerá completamente.

Os olhos do doador de sangue brilham de vitalidade, um abrupto contraste com o escritor, cujas energias se esvaem a cada dia e que perdeu o desejo de escrever. O rosto do doador de sangue é desprovido de rugas e corado pelo sangue. Seus lábios grossos são úmidos e vermelhos. Ninguém adivinharia que ele doa sangue semanalmente, a não ser que escutasse seus tropeções pelas escadas. Seu corpo pequeno e delgado fervilha com sangue e sucos gástricos renovados. Nas refeições, ele pode acabar com cada partícula de comida sobre a mesa. Antes de doar sangue, consegue engolir duas garrafas de água e conservar tudo por meia hora sem sentir vontade de se aliviar. Seu corpo é uma máquina de fazer sangue, com cada parte em perfeito funcionamento.

Em contrapartida, o escritor tem um coração fraco e um par de pulmões problemáticos que cospem bolas de catarro em momentos inoportunos. E nenhum dos órgãos abaixo do estômago está indo muito bem. Ele tem que correr para o banheiro assim que qualquer comida lhe alcança os intestinos. Anos sentado à mesa contorceram suas tripas, fazendo com que ele sofra de hemorroidas crônicas. Seus rins fracos o salvaram de ter que tomar parte na doação de sangue anual da Associação dos Escritores, e, embora agora esteja funcionando razoavelmente bem, seu fígado quase lhe provocou a morte durante os anos no campo.

Apesar de suas incansáveis doações de sangue, Vlazerim parece mais suave e tranquilo a cada dia que passa. Ele não precisa desgastar o cérebro e, portanto, jamais experimenta as tonturas, a insônia e os sonhos perturbadores de que sofre o escritor — aflições de intelectuais. Sua imaginação só é ativada quando ele está elucubrando sobre receitas. Certa vez, durante seu tempo no campo de reeducação, ele roubou uma galinha e a levou para o alto dos montes. Ele a esfregou com temperos, assou-a sobre uma fogueira de lenha e a devorou por inteiro, sozinho. Quando acabou, ele enterrou as penas no chão. Se os cães de guarda não tivessem farejado e desenterrado aquelas penas, Vlazerim teria se safado com seu crime sem uma surra.

Agora, cada órgão de seu corpo está focado no prazer da mastigação de suas mandíbulas.

— Não sou vítima de nada — diz o doador de sangue. — A Política de Portas Abertas de Deng Xiaoping me resgatou e me permitiu criar uma nova vida para mim. Toda a minha infelicidade desapareceu no dia em que me deram dinheiro por meu sangue pela primeira vez. Agora eu tenho tudo que quero. Mas você ainda está enfiado aqui, chafurdando em autocomiseração, ansiando pelo dia em que entrará no *Grande dicionário dos escritores chineses*. Você se odeia por escrever o que o Partido lhe diz para escrever. Você complica a vida, para que possa racionalizar sua perda do senso de realidade; esquece que o homem sobrevive por sua busca por lucro, e não pela verdade. Sem a motivação do lucro, todos estaríamos acabados. No fim, todo mundo recebe o que merece.

— Você bem que poderia ser um intelectual, se quisesse. — O escritor ri. Sua mente começa a vagar mais uma vez. *O que estou fazendo aqui?*, ele se pergunta. *Tenho que encontrar um novo Lei Feng e entrar para o* Grande dicionário de escritores chineses... *Mas tudo que consigo ver é o rosto do empreendedor, o jovem que dirige o crematório, que não se parece em nada com o menino que foi outrora. Já faz algum tempo que venho observando o mundo através de seus olhos. Chegou sua hora de emergir e me incendiar também...*

A enlevada

Depois que ele fechou a porta de ferro, tudo ficou em silêncio.

Ele desligou o toca-fitas, pôs-se de pé e examinou o termógrafo do forno.

— Mil e setecentos graus — disse, aproximando o nariz da fornalha. — Ainda não foi queimado até os ossos. — Neste estágio, se o vento estivesse soprando na direção errada, cheiros de carne assada permeariam o ar e ele sentiria uma pontada de fome. Dez minutos depois, os cheiros deliciosos seriam substituídos por um fedor repulsivo.

Ele comprou a grande fornalha do departamento de cerâmica da escola de arte local. Os estudantes já não a usavam mais para seus projetos e a abandonaram no pátio de uma olaria das redondezas. Depois que a compra foi finalizada, ele transportou a fornalha do pátio para um pequeno pedaço de terra que alugara de um camponês nos limites da cidade. Depois que a fornalha estava no lugar, ele passou uma camada externa de tinta resistente ao calor, substituiu alguns tijolos à prova de fogo que forravam o interior e instalou um novo elemento de aquecimento elétrico. Após conseguir uma licença de empreendedor, ele pôde usar a bela fornalha para reduzir um total de 109 cadáveres a cinzas.

Seu registro mortuário estava tomado por uma lista de nomes, cada um acompanhado de uma fotografia, pronto para a inspeção da polícia. Desses mortos, 49 foram vítimas de acidentes de carro; vinte cometeram suicídio por uma gama de métodos que incluíam enforcamento, ingestão de pesticida, inalação de monóxido de carbono e corte de artérias. Um homem até engoliu um quilo de pregos de ferro. Houve estrelas da ópera de Pequim e agricultores do subúrbio. A mulher que se asfixiou com monóxido de carbono era filha de um antigo oficial — nesta cidade, gente comum não podia comprar fornos a gás. Baixando os olhos pela coluna com título "formação educacional", dava para ver que ele teve três estudantes universitários (incluindo o rapaz de uma universidade de elite que estava queimando agora mesmo), e trinta poetas (isso não é surpresa — há mais poetas que prostitutas ou catadores de lixo nesta cidade). A mais jovem fatalidade foi um bebê de um ano que caiu do alto de um prédio. Era um lindo corpinho, e só precisou de um terço da eletricidade habitualmente necessária.

Quando o 53º corpo foi cremado, a janela à prova de calor da fornalha se estilhaçou. O empreendedor não pôde pagar por uma nova janela e bloqueou tudo com tijolos. Depois disso, ele já não podia desfrutar a visão dos corpos sendo consumidos pelas chamas, e teve que se basear na experiência para julgar o tempo correto. Ele sempre dava sete minutos a mais para qualquer um que passasse do peso de 130 quilos, sem custo adicional.

Seu crematório tinha diversas vantagens sobre os incineradores dirigidos pelo Estado. Primeiro, os corpos podiam adentrar as chamas sendo enlevados pelo som de sua música favorita. O empreendedor podia provê-los com qualquer música que tivessem requisitado, incluindo todas as melodias insalubres que foram banidas pelo Partido. Se o falecido crescera na década de 1930, o empreendedor tocava as canções decadentes "Quando meu príncipe voltará?" ou "As belas moças no rio do botão de pessegueiro".

O empreendedor admitia que seus preços eram mais altos que nos crematórios públicos; ele tinha que pagar contas e taxas de eletricidade. Mas era garantido que os mortos seriam cremados no mesmo dia. Em estabelecimentos dirigidos pelo Estado, o cadáver esperava pelo menos uma semana pela cremação, e mais de duas semanas se topasse com um período movimentado. Os parentes tinham que pagar pelo armazenamento do cadáver, e muitas vezes acabavam dando propinas aos oficiais, numa tentativa de acelerar o processo. Se esses custos adicionais fossem levados em conta, o crematório operava por um bom valor. Mas a maior de todas as vantagens de escolher o Crematório Enlevados, como o empreendedor o chamava, era que a companhia mandava um carro para recolher o corpo em casa, poupando à família o trabalho de arranjar seu próprio transporte. Os parentes do falecido podiam fazer um modesto velório em casa, despachar alguém para o escritório de ligação do crematório no centro da cidade para resolver as formalidades e nada mais. Depois, quando o corpo era recolhido no mesmo dia, os parentes derramavam algumas lágrimas e depois voltavam para suas vidas normais. Em estabelecimentos dirigidos pelo Estado, os procedimentos se arrastavam por tanto tempo que os próprios parentes quase acabavam como cadáveres.

O escritório de ligação do Crematório Enlevados era um longo e estreito galpão construído na passagem de entrada de um velho prédio no centro da cidade. Os parentes iam ao escritório para registrar a morte, planejar a cremação e comprar as roupas e necessidades diárias de que o falecido precisaria na Terra dos Mortos. O empreendedor vivia no escritório com a mãe. Eram uma ótima equipe; seu negócio florescia. Embora a mãe tivesse pouquíssimo conhecimento de eletricidade (o empreendedor tinha formação de eletricista), ela sabia tudo que era possível saber sobre mortos. Os dois só se viam à noite. Durante o dia, a mãe cuidava do negócio no escritório enquanto o filho se dirigia ao crematório no subúrbio para lidar com os cadáveres. Ele saía do escritório às nove da manhã e raramente voltava antes de meia-noite.

À noite, os dois parceiros se encontravam no longo galpão que ocupava metade da entrada do edifício. Quando o filho retornava, a mãe estava sentada na cama, organizando as roupas fúnebres que ele tirara dos corpos, e ouvia o que ele tinha a dizer.

— As mulheres queimam com mais facilidade — comentou com a mãe certa noite. — Para alguém tão magra quanto você, oitocentos graus é o suficiente para fazer com que a carne caia dos ossos.

— Como assim, "caia dos ossos"? — perguntou ela, olhando para as paredes cujas metades inferiores estavam pintadas de rosa, uma cor que só se tornou disponível nas lojas após o lançamento da Política de Portas Abertas.

— É como quando cozinhamos costelas. Quando a temperatura está bastante alta, a carne simplesmente se solta dos ossos.

— Acho que minha perna está necrosando. Eu deveria ter cortado essa bolha há muito tempo. — A sombra da mãe na parede rosa às suas costas parecia uma criatura de outro planeta. — De mim você puxou os ossos; de seu pai, a carne — disse ela, baixando o olhar. A mãe sempre evitava fitar o filho diretamente nos olhos.

— É por isso que sou tão baixo — respondeu ele.

— Você não consegue arrumar uma mulher por culpa de seu pai. Ele tinha um rosto azarado.

— Eu entendo muito de mulheres — retrucou o empreendedor, indignado. — A maioria gosta de ouvir música de piano antes de entrar no forno.

— O que você quer dizer com "ouvir"? — A mãe pegou um pedaço de pano velho que viu jogado no canto da cama, dobrou-o perfeitamente e o devolveu a seu lugar.

— Sinfonias. — O filho balançava as pernas ossudas. — Os homens são uns brutamontes. Só uma música forte e poderosa pode colocá-los em enlevo.

— Os homens são animais. Não perca seu tempo tocando música para eles — resmungou a mãe, esticando o braço para pegar uma calça de lã escura.

— Todo mundo precisa de um enlevo antes de partir. — Todos os vizinhos sabiam que o empreendedor era um grande amante da música. Depois que a Política de Portas Abertas foi lançada, ele foi o primeiro homem na cidade com coragem suficiente para caminhar pelas ruas com um toca-fitas na mão.

O empreendedor saltou da poltrona e jogou as mãos para o ar. A sombra das mãos se moveu junto.

— Sempre farei questão de que eles sejam enlevados. Ouvi dizer que, se os mortos não estão enlevados antes de partirem, suas almas não sobem para o céu e seus corpos não queimam apropriadamente. O enlevo permite que eles desapareçam deste mundo para sempre.

A sombra da mãe era muito escura em contraste com a parede rosa e limpa.

— Veja, aqui tem mais um buraco que você fez — resmungou ela. Todos os objetos no cômodo eram de segunda mão: a mesa, os lençóis, cada pedaço de pano sobre seu corpo. Sentada na cama, ela observava o filho, que andava de um lado ao outro. O quarto tinha 2 metros por 10 e um teto arqueado. À luz do fogo, ela via traços de cinzas brancas, ou algo semelhante, aderidos como fantasmas aos tijolos vermelhos no alto das paredes. A passagem de entrada fedia tanto quanto uma casa de banhos. A maior parte do fedor vinha do barraqueiro que vendia tofu fermentado do lado de fora do portão frontal. Se eles deixassem a porta da frente aberta durante o dia, o cheiro entrava diretamente no cômodo.

O escritório parecia alegre e festivo quando visto da rua. Sempre havia música alta e grandes coleções de flores e sapatos de papel,* chapéus imperiais e ternos e gravatas ocidentais (cuja confecção só foi permitida depois da introdução

*Em funerais na China, é costume que parentes queimem objetos de papel, como casas, dinheiro falso, cavalos, carros e sapatos em oferenda ao falecido, acreditando que os objetos lhe serão necessários no além-túmulo. (*N. da T.*)

da Política de Portas Abertas). O dinheiro falso, os cavalos e as flores de papel eram novos em folha, mas todas as roupas funerárias eram de segunda mão. O empreendedor jamais seria perdulário a ponto de mandar um corpo para o forno ainda com as roupas funerárias. Ele deixava o cadáver vestido até o último minuto, caso os parentes aparecessem para um último adeus, e depois as retirava, dobrava-as e trazia as roupas cuidadosamente de volta ao escritório. Sua mãe berrava em desespero quando descobria que ele rasgara a roupa ou arrancara um botão sem querer. Quando vendia as roupas funerárias para a próxima família, ela sempre era suficientemente generosa para fazer um ligeiro desconto.

A distância (ou da torre do relógio mais alto da cidade), o longo barracão parecia tão nítido quanto um olho aberto. Quando instalou seu negócio ali, o empreendedor convidou o artista mais talentoso da cidade, aparentemente membro da escola dos "Animais Selvagens", para pintar um grande mural na parede externa do barracão, e pagou 50 yuans pelo trabalho. A princípio, o artista ficou relutante em fixar sua arte numa parede: ele acreditava que arte e beleza eram conceitos fluidos e abrangiam atividades como mijar, arrotar, cuspir e bolinar mulheres e garrafas de cerveja. Mas o empreendedor foi persistente e finalmente o persuadiu a pintar a cena de uma moça de cabelos dourados queimando à morte ao som de bela música. Em vez de uma bandeja de metal, ele a pintou deitada num colchão importado da marca Sonho Ocidental e rabiscou algumas linhas abaixo para indicar uma grelha elétrica. Bastava um vislumbre do sorriso e dos seios levemente protuberantes da moça (que excediam o volume de seio máximo permitido pelo regulamento de cartazes da Política de Portas Abertas) para o sujeito morrer feliz.

Infelizmente, no minuto em que o pintor baixou seu pincel, uma mulher do comitê do bairro apareceu com dois policiais a reboque. Eles ordenaram que o artista cobrisse a linha do decote (uma pincelada de tinta marrom, ligeiramente mais escura que o tom da pele em torno). Depois que o decote ofensivo tornou-se plano e pouco convidativo, o artista recebeu ordens de cobrir as pernas nuas da moça. A saia de musselina que ele pintou por cima pareceu satisfazer os policiais, já que terminava logo abaixo dos joelhos. No canto esquerdo do alto do mural, o "Animal Selvagem" havia pintado uma divindade pequena e magrela, o Senhor dos Céus da China, e, sem esperar por instrução, rapidamente esboçou uma nuvem branca cobrindo o pênis do deus e pintou duas outras sob seus pés, em nome da simetria. Finalmente, no fundo, ele acrescentou um representativo grupo de trabalhadores — camponeses, empresários, estudantes e soldados subindo aos céus com grandes sorrisos nos rostos. Entre as fileiras havia alguns "Quatro Olhos" (conhecidos comumente como intelectuais), que tiveram permissão para voltar à cena após a Política de Portas Abertas. O artista preencheu os espaços vazios restantes com belos anjos e atraentes demônios — dava para diferenciá-los pelos chifres. No pé da imagem ficava o Senhor do Submundo, que tinha tarefas opostas às do Senhor dos Céus. Pelas imagens, ficava claro que ele era responsável por punir a mais séria categoria de criminosos: os contrarrevolucionários. Ele empregava técnicas de tortura emprestadas do cristianismo, do islamismo e do budismo: ser afogado em óleo fervente, atropelado por um carro, bicado até a morte por águias e comido vivo por cobras. Mais tarde, a mãe do empreendedor colou um par de cavalos de papel sobre esta parte para esconder as cenas sombrias.

O velho prédio de apartamentos com metade da entrada bloqueada era muito similar ao Museu Memorial do Levante de 1º de Agosto em Pequim (sem o pórtico ornamentado e as grandes janelas arqueadas, claro). A decoração da fachada refletia os diferentes estágios de prosperidade causados pelas recentes reformas. Algumas famílias abastadas substituíram suas velhas janelas de madeira por esquadrias de alumínio e vidro fumê. Um chefe de gabinete até instalou um ar-condicionado — uma máquina estrangeira que sugava o ar quente externo e soprava ar frio no interior. Era possível adivinhar a fortuna de cada casa pelo estilo e condição das roupas penduradas nas janelas em varais de bambu. A maior parte dos quartos no andar térreo foi transformada em lojas. Um cartaz de uma estrela do cinema estrangeiro estava colado na janela do cabeleireiro, Camarada Lei Feng.

A mãe cruzou as pernas e pegou uma camisola funerária. A fumaça da serpentina de incenso espiralou através do fedor mórbido. Uma das camisas já tinha sido usada por três cadáveres, e dava para sentir cheiro de loção pós-barba (provavelmente francesa) no colarinho. Ela examinou a roupa em busca de imperfeições, tão cuidadosamente como se estivesse inspecionando seu próprio corpo. Seus dedos ágeis trabalharam noite adentro, remendando cada buraco e rasgo. Pela manhã, a camisa parecia nova em folha mais uma vez, dobrada na prateleira mais alta do escritório.

Mas ainda havia um paletó bordado sobre a cama. Se o empreendedor fosse mais astuto, talvez adivinhasse que utilidade sua mãe tinha em mente para a peça.

(Neste ponto em seu raciocínio, o escritor profissional exala um profundo suspiro e desvia os olhos para o céu noturno. Ouvindo os sons que chegam do interior e de fora das janelas acesas, ele diz a si mesmo: *As cores sempre parecem mais sedutoras na escuridão. Já que é mais silencioso que o dia, dá para ouvir as pedrinhas chutadas pelos sapatos de um transeunte, e crianças cantarolando "Aprendam com o bom exemplo do Camarada Lei Feng" sob um poste de luz. Um sino de bicicleta toca às vezes e o som depois se desfaz na escuridão. A esta hora da noite, as pessoas se tornam criaturas tristes e misteriosas. Somente quando estão cozinhando, descansando ou papeando é que o sabor da vida se esvai das ruas e penetra cada casa. Enquanto não há mulheres brigando, as pessoas podem admirar as estrelas, partilhar uma refeição com alguns amigos ou sair para um encontro...*)

Ao crepúsculo, o empreendedor começava a queimar os corpos que tinham sido recolhidos durante o dia. Ele trabalhava até meia-noite e depois voltava para casa carregado de roupas e pertences. Às vezes retornava com dentes de ouro e peças de joalheria. Pela manhã, ele saía da cidade em sua moto do exército, passando por uma fileira de casas que até pouco tempo era uma extensão de campo aberto, até chegar a seu crematório no subúrbio, um simples barracão que ele construíra com os tijolos de um galinheiro abandonado. Uma barra de ferro soldada ao teto de metal retangular servia de chaminé. Seus dois motoristas despejavam os cadáveres no chão de cimento ou numa das três macas. Quando os corpos entravam no crematório, pareciam confortáveis no novo ambiente, como amantes da música numa sala de concertos.

O empreendedor sempre se certificava que os corpos fossem recolhidos no mesmo dia do registro. Ele compreendia como as coisas funcionavam. Se uma pessoa morta ficasse em casa por mais que três dias, os parentes não apenas paravam de chorar, mas começavam a se incomodar com sua presença. Ele também assegurava que as cinzas fossem devolvidas às famílias dentro de uma semana, pois sabia que teria uma recepção gélida nas casas dos enlevados após esse prazo.

Às vezes, os parentes visitavam o escritório no centro da cidade (achando o caminho por meio do endereço no alto do recibo do empreendedor) para recolher as cinzas pessoalmente. Mas as urnas dificilmente continham o enlevado cuja foto estava presa à tampa. O empreendedor às vezes dividia as cinzas de um corpo entre várias urnas. Se quisesse garantir a entrega imediata dos restos mortais, ele tinha que usar esse artifício. De qualquer maneira, em sua opinião, as cinzas de uma pessoa eram iguais às da seguinte. Seus motoristas dirigiam uma Fiat de segunda mão em cujas laterais estava gravado o chamativo texto:

NÓS AMAMOS O PRÓXIMO, NÓS AMAMOS O PARTIDO, NÓS AMAMOS NOSSA PÁTRIA-MÃE. NÓS NOS DEDICAMOS À CAUSA DE DOBRAR A PRODUÇÃO DA NAÇÃO

ATÉ O SÉCULO XXI. INTEGRE-SE COM OS CAMPONESES! VÁ ATÉ AS FRONTEIRAS! VÁ AO CREMATÓRIO ENLEVADOS!

Na traseira do carro se via a imagem de uma grande massa de gente parada num globo do tamanho de uma bola de futebol. Abaixo, um chamativo slogan dizia: ELEVAR A PRODUÇÃO! REDUZIR A POPULAÇÃO!

— Eu realmente adoro os mortos; eles são muito melhores que os vivos — disse o empreendedor certa vez a alguns parentes chorosos quando chegou para entregar as cinzas.

— A China tem uma população de 1,2 bilhão. Se mais pessoas não morrerem logo de uma vez, nosso país estará acabado — disse ele a outra família. — E, além do mais, ele também não era nenhum herói revolucionário, era? — acrescentou, notando a palavra "proletário" na coluna indicativa de classe política no formulário do falecido.

O maior talento do empreendedor estava em recomendar música para os defuntos. Ele só precisava olhar para a profissão, classe política, idade, sexo e foto no formulário, e selecionava a música apropriada em sua lista. O preço de cada música teve que subir, claro, de acordo com a inflação provocada pela Política de Portas Abertas.

"QUINTA SINFONIA" DE BEETHOVEN: 5 yuans
"NOTURNO" DE CHOPIN: 7 YUANS
(*Adequado para moças e poetas*)
"PATÉTICA" DE TCHAIKÓVSKI: 8 YUANS
(*Última gravação de Karajan*)

"A INTERNACIONAL" DE POTTIER: 1,5 YUAN
"FORTUNA IMPERATRIX MUNDI" DE ORFF: 2 YUANS
(*Oferta especial. Uma escolha popular para intelectuais*)

Havia também músicas mais conhecidas, custando apenas meio yuan por reprodução. Entre elas figuravam as velhas favoritas "Água do rio", "Luar refletido em dois lagos", "Sem Partido Comunista, sem Nova China", além de "As couves tenras", "Darei minha vida ao Partido" e "Aprendam com o bom exemplo do Camarada Lei Feng". Se o defunto era membro dos Jovens Pioneiros, o empreendedor tocava "Há várias ações de bem para os domingos", sem custo adicional.

Se os parentes tinham problemas em decidir o que escolher na lista, o empreendedor espichava o pescoço, insinuava-se e murmurava:

— Tenho outras fitas de reserva. Mas vocês terão que pagar em certificados de câmbio estrangeiro. — Essa coleção musical secreta incluía fitas de rock inglês, música country americana, disco music erótica francesa e gravações do pop star taiwanês Deng Lijun originais de Hong Kong.

— As autoridades centrais começaram a confiscar as fitas de Deng Lijun — dizia ele aos clientes em tom de especialista. — Quem for flagrado em posse de uma delas será sentenciado a cinco anos de prisão e terá a permissão de residência urbana revogada.

Seus clientes geralmente seguiam suas recomendações. Alguns achavam difícil tomar uma decisão porque tinham pouquíssima ideia dos gostos musicais do falecido.

— Confiem em mim — disse ele a certa família. — Só com uma olhada já percebo que sua filha gostaria de "Amantes fatídicos" e "A concubina Meng chora na Grande Muralha".

— Mas ela ainda era virgem — sussurraram os parentes.

O empreendedor olhou novamente para a fotografia no formulário. A mulher passava e muito dos 40 anos.

— Bem, vocês decidem. Eu tenho "Ave-Maria" ou "Disco music para fazer amor". Os estilos musicais são diferentes, mas terão o mesmo efeito. Vocês podem mandá-la para o Velho do Céu como quiserem. — Já que os parentes tinham um nível de educação baixo, ele usava o termo "Velho do Céu" em vez de "Deus". — Vocês podem dar a ela uma cremação de virgem ou não. A escolha é sua — acrescentou ele, sorrindo para os outros com o orgulho de um alcoviteiro num casamento.

— Ela sempre quis entrar para o Partido — confessou a mãe com um sorriso dissimulado.

— Querer entrar no Partido e entrar no Partido são duas coisas diferentes. — Quando se tratava de política, o empreendedor era maduro para sua idade. — Mas, se preferem, posso tocar "O Partido me deu uma nova perspectiva de vida" e "O socialismo é bom", e ela partirá sem frustrações.

As notícias do excelente serviço prestado pelo empreendedor logo se espalharam pela cidade. As pessoas descobriram que estar morto não era muito diferente de estar vivo.

Um ruído constante reverberava do barracão do empreendedor. Ele comprara o toca-fitas do primeiro lote de bens importados do Japão no rastro do lançamento da Política de

Portas Abertas. O aparelho tinha quatro caixas de som. Ele sempre tentava tocar a música requisitada pelos parentes, se o tempo permitisse. Mas a única plateia real eram os cães vadios no pátio externo, atraídos para o barracão pelo cheiro dos enlevados assados. Os cães se deitavam no chão e tomavam sol, ou reviravam as roupas funerárias descartadas. Às vezes, os deliciosos aromas que emergiam do barracão lançavam os animais num frenesi, e eles corriam pelo pátio, perseguindo as caudas uns dos outros.

Às vezes, o empreendedor passava a noite no barracão. Examinemos agora sua conduta profissional e analisemos seu comportamento imoral. Um solteirão de 30 anos provavelmente tem algo a esconder. A tristeza que ele sente à visão de cadáveres femininos é extremamente antinatural. Se praticarmos nosso Qigong e usarmos nosso "olho da sabedoria" para observá-lo através das paredes desse barracão, veremos esse autoproclamado dirigente zanzando pela sala, parando junto ao cadáver de um certo oficial proeminente e pregando-lhe o olhar de um homem prestes a vingar a morte de seu pai. Com o certificado de óbito na mão, ele sujeita cada enlevado a um implacável interrogatório, parando aqui e ali para chutá-los bruscamente nas canelas.

Um dia, deitados a seus pés, ele tinha: um policial, o secretário municipal do Partido, o chefe do departamento de habitação local, um aposentado do segundo escalão do Partido e a presidente do comitê do bairro. Contudo, nenhum deles lhe representava uma ameaça. Todos jaziam no chão, junto ao intelectual, ao médico e ao pianista. Num só fôlego, o empreendedor xingou o bando inteiro.

Todos são iguais na morte. Se essas pessoas importantes soubesse que seriam desrespeitadas dessa forma, teriam dado um jeito no patife enquanto ainda estavam vivas. Mas agora os enlevados só podiam repousar silenciosamente enquanto ele passava uma descompostura final em cada um. Ele vociferou palavrões ao policial que não observou os regulamentos de tráfego e confiscou sua carteira de motociclista injustamente. Xingou o chefe do departamento de habitação por não ajudá-lo com seus problemas de acomodação, rilhando:

— Você até quis me expulsar de meu galpão na entrada do prédio. — Ele os repreendeu por sua corrupção: — Eu poderia ter comprado uma mansão no campo com todo o dinheiro que gastei com suas propinas. — Depois, ele voltou ao chefe do departamento de habitação e o chutou no estômago. — Você teve a coragem de acusar meu galpão de estragar a aparência da cidade. Mas, quando o primeiro-ministro da Albânia veio em visita oficial, foi você quem decidiu cobrir a cidade com aqueles gigantescos compensados horrorosos.

O empreendedor estava quitando velhas rixas. No ano em que o primeiro-ministro Shehu da Albânia visitaria o país, o governo local decidiu que os prédios arruinados das ruas mais importantes deveriam ser cobertos com placas de compensado pintadas com murais mostrando uma longa fileira de belas casas. Shehu passaria de carro rapidamente e, portanto, tudo que era necessário era uma impressão fugidia. Uma dessas fachadas de compensado foi afixada ao prédio de apartamentos em que o empreendedor morava com a mãe na época. A placa bloqueou toda a luz e o ar de seu apartamento. As janelas da fachada de compensado eram separadas por intervalos de 5 metros, e, por azar, pularam seu apartamento e acabaram no apartamento dos vizinhos. O governo local emitiu uma medida de cortina para os vizinhos; contanto que a pendurassem durante os cinco minutos em que o carro de Shehu passaria, a cortina ficaria para eles depois. O empreendedor achou que isso foi muito injusto, já que a origem de classe dos vizinhos era semelhante à sua — todos pertenciam a uma das "Cinco Categorias Negras" às quais eram negados empregos estatais. No fim, perder o pedaço de cortina foi o menor de seus problemas. Quando as "mansões de compensado" foram desmanteladas, o empreendedor aproveitou o caos generalizado e roubou um pedaço de compensado e duas placas de madeira para fazer móveis mais tarde. Alguém viu e o denunciou à polícia. Ele foi levado ao gabinete de segurança pública e interrogado por horas. O empreendedor só tinha 14 anos na época.

Quando caiu a noite, o cadáver do secretário municipal do Partido assumiu um ar mágico. O empreendedor teve um sentimento de orgulho quando viu a fileira de cadáveres. Ele finalmente podia desfrutar da autoridade que todo mundo merece ter na vida. Os mortos jaziam a seus pés, olhos arregalados, meras testemunhas de sua própria humilhação.

Depois que viu a peça *O oficial do nono escalão e a semente de sésamo*, sobre o oficial comunista caridoso, o empreendedor se viu compelido a agir com um senso mais aguçado de justiça social. Ele enviava proletários para o incinerador sem revistá-los nem uma vez, e sequer checava seus dentes.

(Um dente de ouro equivale à renda anual de uma família média nessa cidade.) Era um caso de "Nivelamento entre ricos e pobres" ou "Depois da tempestade vem a bonança". Ou, pelo menos, era como ele via. Como a morte de seu próprio pai ainda estava vívida em sua mente, ele era sempre especialmente gentil com os direitistas ou com qualquer um que tivesse morrido atropelado por um carro.

Quando caminhava pelas ruas e via gente fazendo fila para o ônibus ou parando para uma conversa, cenas do crematório cruzavam sua cabeça: os vapores gordurosos erguendo-se da pele carbonizada, os esqueletos em lenta contração. Ele pensava nas diferenças entre a pele amarela e laranja dos frangos assados nas barracas de rua e a pele branca e macia do rosto de uma garota antes de entrar na fornalha. Pensava na diferença entre os vivos, que podiam se mover e falar, e os mortos, que não podiam se mover nem inventar mais desculpas para si mesmos.

Seu amor pelos mortos aumentava dia após dia. Ele pensava em como ficaria feliz se sua mãe se tornasse uma defunta (aquela boca calada de uma vez por todas). Os mortos fizeram dele um milionário, o líder do comitê não oficial do Partido no crematório. Os mortos nunca falavam idiotices. Nunca investigavam suas publicações ou examinavam seus livros de registros. Não se importavam com o que ele vestia, onde morava ou para onde viajava. À medida que o número de cadáveres aumentava, as idades e personalidades se tornavam cada vez mais variadas e seu amor por eles se fortalecia. Embora os frequentes cortes de energia provocassem um acúmulo de corpos (uma usina química vazou certa vez, inundando plantações locais com água poluída; sete pessoas morreram num dia, e todas foram levadas para o barracão ao mesmo tempo, claro), ele ainda sentia que havia muita gente viva e pouquíssimos mortos.

Com o passar do tempo, o empreendedor deixou de entender por que as pessoas insistiam em viver por tanto tempo. Quando sua mãe o xingou por arrancar um botão de uma perfeita calça de lã (que, na verdade, já tinha três botões perdidos — só se podia achar substitutos daqueles botões metalizados de estilo estrangeiro em cidades de explosão comercial decadentista como Shenzhen), o empreendedor subitamente imaginou como ela pareceria calma quando estivesse morta. Imaginou a mesma cena quando a observou através do lençol de algodão vermelho que penduravam entre si antes de irem dormir. "O reino de Buda é repleto de misericórdia", ele desejara lhe dizer. O empreendedor abriu a boca, mas as palavras se recusaram a sair.

— As mulheres queimam melhor que os homens — repetiu ele para a mãe, mas desta vez num tom mais insistente. — Gente morta cheira a carne assada logo que entra no forno. — Alguns minutos depois, as tripas emitiam gases pútridos que causavam ânsias de vômito, mas ele omitiu esta última informação, e prosseguiu: — Você deveria ir ao barracão um dia e dar uma olhada. Há uma poltrona que pertenceu a um homem rico e poderoso antes da campanha contra os "quatro velhos".* Você pode se sentar nela, observar os corpos

*Campanha da Revolução Cultural com o objetivo de extinguir os "quatro velhos", i.e., costumes, cultura, hábitos e ideias da China pré-1949. (*N. da T.*)

entrando na fornalha e ver como são transportados a um reino de paz e alegria pela música de sua escolha.

— Dizem que, um dia, bolas de algodão cairão do céu — murmura a mãe, com sua sombra se prolongando pela parede rosa às suas costas. — Quando eu vir as bolas caindo, vou até o barracão com você.

O filho entrou em pânico. Quando ele era mais jovem, sua mãe sempre detectava suas mentiras. Ele agora estava na casa dos 30, mas ainda se sentia inseguro.

— Venha comigo para dar uma olhada — disse ele. — É só o que estou pedindo.

Pouco antes do amanhecer, a mãe olhou para fora pelas frestas da porta de madeira. Depois ela virou a cabeça, os olhos verdes iluminados como os de um velho gato. O filho não ousava enfrentar seu olhar, mas sentia a importância daquele momento; sabia que havia algo que precisava fazer. Ele rolou e saiu da cama.

Mãe e filho pareciam perturbados pela forma como o dia começara. A rotina de suas manhãs fora modificada. Geralmente, enquanto o filho recolhia a cortina vermelha, a mãe baixava a maçaneta para abrir a porta da frente. Enquanto a mãe colocava briquetes de carvão no forno, o filho cruzava a sala cheia de fumaça com uma escova de dentes na mão e saía para o corredor de entrada para lavar a boca. Depois que a mãe colocava seu penico do outro lado do fogão, o filho entrava, deixava a escova, pegava o penico e o levava até os banheiros públicos. Hoje, entretanto, tudo estava fora de sequência. Infelizmente, enquanto ele espremia a pasta de dentes, a mãe se agachou sobre o penico para dar uma mijada. Geralmente ele só ouviria a mãe fazendo aquilo no comecinho do dia, enquanto ainda estava meio adormecido na cama.

Parecia o começo de algo novo. Ele percebeu que era hora de agir, mas não sabia por onde começar.

Ao longo dos dois anos anteriores, ele construíra uma boa situação para si. Seu negócio florescera para além de suas maiores expectativas. Ele tinha comprado a fornalha elétrica porque gostara dela e o objeto o intrigava, mas só foi descobrir que a fornalha podia ser usada para cremar corpos numa conversa que entreouvira nos banheiros públicos. Ele instalou seu crematório; logo os corpos saíam da fornalha como água de uma bomba e ele corria de um lado para o outro como a correia da bomba, pois, nesta cidade, fizesse chuva ou sol, fosse tarde de domingo ou noite de quarta, todo dia morria alguém. Domingo nunca era dia de descanso; na verdade, era quando morria mais gente, principalmente mulheres — as mulheres sempre decidiam se matar aos domingos. Estudantes entre 16 e 20 anos preferiam morrer às segundas. Donas de casa de meia-idade morriam às terças. Este era o pior dia para o empreendedor, pois ele tinha que arrastar aquelas imensas mulheres obesas pelo barracão sozinho. Bebês e mulheres que morriam de parto apareciam às quartas e quintas. Oficiais antigos do Partido morriam às sextas. Era sempre um dia solene e aflitivo. Ele tinha que analisar detalhes minuciosos dos obituários dos jornais para determinar se o falecido era um reformista ou um reacionário, e aí fazia as preparações apropriadas para seu enlevo. Gente na casa dos 20 anos gostava de morrer nas noites de sábado. Alguns morriam a caminho de um encontro, outros num estupor alcoólico após o fim de um relacionamento. Sábado era sempre a noite mais romântica da semana. O amor invadia o crematório como sangue fresco, e "Fortuna Imperatrix Mundi" de Orff estrondeava a noite toda do toca-fitas sobre a mesa raquítica.

O filho observou a sombra da mãe deslizando pela parede, rastejando pelo chão de cimento cinza e vagarosamente desaparecendo no interior do forno de carvão.

A manhã passou tranquilamente.

À tarde, a mãe ajeitou o cabelo cuidadosamente com um pente e seguiu o filho para fora. Ela trancou a porta da frente, sentou-se na garupa da moto e, pela primeira vez em 17 anos, saiu de casa. (Um escritor de rua de outra província, que redigia cartas para analfabetos, ia se mudar para o barracão algumas semanas mais tarde.) Depois, ela saiu da cidade. Em toda a sua vida, a mulher jamais se afastara mais que cinco quarteirões de casa.

A mãe já parecia uma enlevada. Estava vestida dos pés à cabeça com roupas funerárias que foram usadas por muitos enlevados antes dela. No caminho para o crematório, todos paravam e fitavam a mulher viva vestida com roupas de homens mortos. Tinha até sapatos de papel metálico nos pés. Alguns a reconheciam como a velha que vivia no escritório de ligação dos Enlevados. Quando os dois chegaram aos limites da cidade, o sol saiu. O céu estava azul, e não havia uma só bola de algodão no ar.

O filho levou a mãe para dentro do barracão e a encarou. Agora via que ela era uma enlevada como outra qualquer, e que já não tinha nenhum controle sobre ele. Na verdade, seus papéis pareciam estar trocados. Se ele tivesse que chamar essa mulher de "mãe", sua cabeça teria rachado no meio. Agora, ela já não tinha nada a ver com ele. No frio do barracão, o empreendedor se sentiu subitamente confiante e confortável no papel que estava prestes a assumir. Finalmente, ele tinha capacidade de mudar; antes deste dia, sempre teve que representar um papel que lhe fora designado, sem que tivesse qualquer escolha no assunto. Foi sempre o filho de sua mãe, o filho do Partido, o filho da Pátria-Mãe. Era um filho até os ossos, sempre no papel coadjuvante. Mas agora, enquanto encarava a enlevada de pé na sua frente, ele finalmente sentia que era separado dela, era um indivíduo, embora ainda não soubesse bem quem esse indivíduo de fato era. Ele só sabia que não era um empresário ardiloso, um presumido líder partidário clandestino ou o filho do direitista morto, o menino que seus colegas de classe gostavam de chutar.

(O escritor profissional pensa consigo: *É muito difícil traçar o limite entre o homem e o animal. Qual deve ser o critério? Um lobo morreria para salvar seus filhotes, mas um homem venderia a mãe por 800 yuans. Um tigre estripará um animal mais fraco em sua luta por comida, mas um homem passará fome até ter certeza de que os estômagos de sua família estão cheios. Não há como tirar qualquer conclusão disso...*)

Sua vida inteira esteve atada à mãe e às experiências que partilhou com ela. Ele trabalhava como um cão para sustentar a casa, pois, se os dois quisessem sobreviver neste mundo, tinham que pagar aluguel, contas de água, contas de gás, comprar vastas quantidades de títulos compulsórios *premium* e se virar com a inflação causada pela Política de Portas Abertas. Quando ele comprou o forno elétrico da escola de arte, não tinha a menor ideia do que o futuro lhe reservava ou dos talentos que descobriria ter. Agora que pensava no assunto, ele suspeitava de que herdara essa sensibilidade artística da mãe. Quando ele era criança, a velha cara de couve pulava de um lado para o outro pela sala como um macaco, cantarolando "Quando Meu Príncipe Retornará?". Ela conhecia todas as canções populares dos anos 1930, e transmitiu ao filho esse amor pela música. (O tal direitista se casou com ela por sua voz, e, quando foi atropelado na rua, sua mente estava cheia de lembranças felizes.) Embora já não pudesse detectar traço algum de tais encantos passados, o filho sabia que a pessoa de aparência comum à sua frente era a única mulher viva com quem ele já tivera contato; foi quem o criou. Este pensamento lhe parecia particularmente repugnante quando ele ouvia o mijo caindo do meio das pernas dela pela manhã e sentia o cheiro de sua urina quente. Ele imaginara que jamais poderia escapar da sentença perpétua de ser um "filho", mas, quando estava prestes a perder as esperanças, o destino lhe mostrou uma luz.

Agora, finalmente, o corpo pesado dessa velha enlevada (que consumira dois bolinhos fritos e uma tigela de tofu no café da manhã) finalmente se reuniria à categoria dos mortos. O empreendedor sabia o que restava fazer, mas a subitaneidade dos eventos o desnorteava. Ele já não era o arrogante agente secreto do Partido. Ele percebia que isso era real; podia até sentir seus próprios odores corporais na pele da mãe. Mas havia uma estranha aura de teatro nessa velha vestida com roupas fúnebres. Ainda assim, sua mãe parecia à vontade com a situação; ela achava que estava no controle, assim como sempre tinha sido no escritório. Parecia estar observando os movimentos do filho com um controle remoto na mão.

O filho assistia enquanto ela vasculhava os corpos como uma barata, verificando mãos e dentes, criticando-lhes a noção de moda.

— Esta mulher ainda está com a pulseira no braço — comentou ela, ajoelhando-se.

O filho se aproximou, ergueu a mão da morta, inspecionou a pulseira e a arrancou do pulso.

— Eu conheço este homem. Ele trabalhava na farmácia da avenida da Paz. — Os sapatos de papel metálico da mãe resvalaram pela cabeça de outro cadáver. Ela parecia entusiasmada. O filho ligou a fornalha brevemente para verificar se havia eletricidade.

— Queime este aqui primeiro — disse ela, examinando as mãos e os dentes do farmacêutico. — Ele sabia que eu gosto de nabos secos, aqueles que umedeço e uso para rechear bolinhos.

O farmacêutico foi empurrado para dentro da fornalha ao som dos acordes da "Internacional". (Após sua morte, ele recebeu filiação póstuma ao Partido Comunista Chinês.) Quando o filho trancou a porta de aço, a mãe ligou a fornalha novamente, e seus olhos brilharam como os de uma menina cheia de sonhos e curiosidade. Antes de se casar com o professor de arte mais tarde condenado como direitista, ela riu quando a avó anunciou que seu pai acabara de se atirar do alto de um prédio. Naquela época, ela ignorou as lágrimas da mãe e lembrou do líder do Comitê Central descrevendo os capitalistas de Xangai que pulavam dos prédios por medo da perseguição comunista como "paraquedistas". Ela achou que era uma descrição muito engraçada e precisa.

— Seu monstro! — gritou a avó, e esbofeteou seu rostinho inocente. — Seu pai despenca, arrebenta o crânio, e você simplesmente ri.

Os olhos de sua avó lampejaram de fúria, mas a menina só conseguia rir. Ainda não fazia ideia do que era a morte. Contudo, logo depois que se casou com o direitista, ela percebeu que essas calamidades acontecem e que teria que passar o resto de seus dias usando toda a sua habilidade e astúcia para continuar viva. Entretanto, ela não gostava de relembrar o passado. Contanto que estivesse alimentada, ela achava que podia se virar em sua trajetória neste mundo cruel, exceto, claro, se um dia decidisse acabar com a própria vida. Ela aceitou que as provações e o sofrimento eram inevitáveis. Além disso, se a vida ficasse fácil demais, as habilidades desenvolvidas ao longo dos anos não lhe seriam mais úteis, e não lhe restaria muito mais a fazer além de morrer. Contudo, se a morte era, na verdade, uma nova forma de vida, uma fuga, e não uma tragédia, então poderia começar a lhe parecer atraente.

A mãe se sentou na poltrona, penteando os lustrosos cabelos negros, esperando que o membro póstumo do Partido emergisse do forno. Ela se perguntava se deveria levar consigo seus brincos de ouro quando chegasse sua hora.

O filho puxou a bandeja de metal.

O farmacêutico se tornara imaculadamente alvo. Era como se tivesse acabado de sair do banho. Uma suave fragrância se elevava de seus perfeitos ossos brancos. A carne desaparecera do corpo. A mãe ficou aliviada ao ver que os horríveis lábios gordos do homem também tinham sumido.

— Está completamente transformado — comentou ela, apalpando com prazer os ossos quentes e claros.

— São lindos e suaves, não são? — Agora que a carne desaparecera, o farmacêutico já não tinha idade. Se não o tivessem visto antes de sua entrada no forno, eles poderiam até tomá-lo por uma criança, ou uma criatura de algum reino celestial.

— Meu Deus! — gritou a mãe, batendo no peito. — Quem me dera ter sabido antes.

O filho adivinhava o que a mãe queria dizer com essas palavras. Ele presumiu que ela estava contemplando a "imortalidade" — palavra que ele ouvia com tanta frequência em recepções funerárias. A mãe sabia agora que o membro póstumo do Partido alcançara a imortalidade.

— Ele é imortal, agora — disse o filho. — Não importa se vai para o céu ou o inferno, ele não voltará para cá, principalmente porque conseguiu passar pela vida sem cometer qualquer erro grave. — Ele se aproximou do toca-fitas, desligou "A Internacional" e depois colocou uma ária de *Salambô* sem custo adicional.

A alegria de ver o farmacêutico abandonando seu invólucro mortal colocou mãe e filho num ânimo festivo. Eles deslizaram as mãos pelo interior da carcaça quente do farmacêutico e sorveram o misterioso fascínio da morte. O filho notou com constrangimento um pedaço de carne fumegante preso à porta do forno — um canhestro deslize de sua parte — e rapidamente o soltou com uma haste de metal.

— Que música foi essa que você acabou de tocar? — perguntou a mãe num tom melodioso.

— *Salambô,* de Mussórgski — respondeu o filho.

— Musso... quem? — A mãe evidentemente não entendia nada de música moderna.

— Provavelmente é um pouco contemporâneo para o seu gosto. — O filho não estava disposto a dar respostas detalhadas a perguntas desinformadas.

— Não seria nada mau ter essa peça tocando para mim.

O filho fez uma pausa momentânea, e murmurou:

— Eu ainda tenho a velha gravação em que você canta as... músicas indecentes.

— Tudo bem. Mas me inicie com a *Salambô*.

— Não importa qual música eu toque: de qualquer maneira, você sairá do forno branca como a neve.

— Imaculada? Você promete? — A mãe soava como se estivesse falando com um comerciante trapaceiro.

— Imaculada, contanto que não haja nenhum corte de energia. — Em seguida, por seu sentido de dever profissional, o filho acrescentou: — Às vezes as mulheres de meia-idade saem ligeiramente amareladas, um amarelo pálido como milho maduro. Mas eu farei o máximo possível para que você saia ainda mais branca que o farmacêutico.

Com esse novo sentimento de confiança estabelecido entre mãe e filho, seus olhos finalmente puderam se encontrar. Ele chegaram a um acordo silencioso. Sentiam-se ainda mais próximos agora do que quando testemunharam a transformação do farmacêutico. Antes, o filho sempre pensara na mãe como uma velha loba. Quando criança, ele ficava apavorado quando ela amarrava um lenço na cabeça e suas orelhas brancas de repente ficavam saltadas. Também tinha vontade de sair correndo quando ouvia a mãe cantarolando, sempre temendo que uma cauda cinza aparecesse por baixo da saia e sacudisse de um lado para o outro quando ela ficava contente. Mas, agora que se fitavam nos olhos pela primeira vez na vida, eles se sentiam mais unidos que no dia em que o filho foi interrogado no gabinete de segurança pública e todo o futuro dos dois pareceu ameaçado.

— Contanto que não haja corte de luz — repetiu ele —, eu lhe darei uma bela cremação. — Agora o filho estava ficando entusiasmado. Deu meia-volta e, com um pedaço de arame torcido, arrancou uma fita de Hong Kong com canções de Deng Lijun de uma rachadura na mesa. Era uma fita especificamente proibida pelo primeiro-ministro Deng Xiaoping, contendo a música indecente "Quando meu príncipe retornará?". A canção tinha o coro decadente que sua mãe costumava cantar: "Venha afugentar a solidão de meu coração apaixonado..."

O filho estava ansioso por começar. Deixou para trás os ressentimentos passados em relação à mãe e se dedicou às necessidades dela. A dupla já não se comportava como costumava fazer no galpão da entrada do prédio, resmungando respostas monossilábicas às perguntas um do outro, olhando-se de soslaio com desprezo. Agora estavam unidos numa ação, tão intimamente ligados quanto um par de gêmeos idênticos. Eles suspiravam com alívio. Esse entendimento silencioso era tão reconfortante quanto os ossos brancos, lisos e cálidos. O rosto da mãe se iluminava com amor maternal. Tratava-se de uma mulher que cantara canções indecentes na juventude e cujos olhos levaram um pintor à loucura; mas agora, no rosto da velha, esses olhos pareciam gentis e bondosos. Tal expressão desapareceu do mundo de hoje. É possível andar pela rua por dez anos e jamais encontrar uma expressão como essa. (Ao menos não se encontra em rostos chineses. Talvez rostos ocidentais pareçam gentis, calmos, bondosos. Mas, na China, não apenas essas expressões desapareceram, mas o mesmo ocorreu com todas as expressões similares, de piedade, compaixão e respeito.)

Alguém que observasse a dupla através da janela só poderia imaginar os intensos sentimentos que transbordavam de cada um. A vergonhosa ideia que ocorrera ao empreendedor na véspera agora se transformara numa missão gloriosa. Ele pegou a urna com a foto do farmacêutico na tampa, despejou parte das cinzas no interior, abriu a janela, jogou fora o resto das cinzas e fechou a janela novamente. (Um dia ele esqueceu de fechar a janela e os cães vadios que perambulavam do lado de fora saltaram para dentro e devoraram metade dos 12 enlevados que estavam enfileirados no chão.) Ele limpou a bandeja de metal quente com uma flanela molhada e colocou a fita no aparelho de som. Tudo estava em ordem, tudo acontecera de acordo com os planos. Agora só faltava que a mãe se deitasse na bandeja.

— Já está pronta — disse ele delicadamente.

A mãe se deitou de costas sobre a bandeja, exatamente como vira o membro póstumo do Partido. Ela deixou que as mãos caíssem naturalmente ao lado do corpo e fixou os olhos no teto. Quando o filho estava prestes a ligar a fornalha, a mãe ergueu a mão no ar e disse:

— Toque a música!

— Muito bem — respondeu o filho. Ele se inclinou para trás, apertou o botão de reprodução, esperou que o prelúdio acabasse e depois empurrou a bandeja vagarosamente para dentro da fornalha ao ritmo da ária de *Salambô*. Os sapatos de papel metálico foram a última coisa a entrar. Ele viu um monte de cinzas e uma tachinha brilhosa presos às solas.

— A conta de luz está embaixo dos títulos *premium*! — ele ouviu a mãe gritando de dentro da fornalha, quando a letra da canção pornográfica começou a reverberar. Sem uma palavra, o empreendedor passou a mão nos cabelos e bateu a porta de aço.

O suicídio *ou* A atriz

Su Yun tinha 16 anos quando subiu ao palco pela primeira vez. Era o ápice da Revolução Cultural, e ela estava determinada a dedicar toda a sua juventude e vitalidade às heroínas revolucionárias que interpretava. Ela pegou os papéis de Jiang Jie, a brava ativista fuzilada numa cadeia do Kuomintang, e Liu Hulan, a mártir comunista decapitada por invasores japoneses. Ela cantou no papel da pastora que perde os pés congelados na tentativa de resgatar o rebanho estatal e dançou no papel da destemida líder camponesa Wu Jinghua, que enterra sua baioneta no maligno fazendeiro capitalista.

Mas os ventos trazidos pela Política de Portas Abertas sopraram para longe as heroínas revolucionárias, e Su Yun perdeu seu caminho. Ela tentou acompanhar os novos tempos e relaxar suas opiniões morais, mas foi obrigada a recuar por uma série de casos de amor fracassados. Lentamente, ela perdeu o contato com a realidade e se enterrou em si mesma. Su Yun queria viajar ao núcleo de seu ser e ver o que encontraria no fim de sua vida.

Seu plano inicial era morrer sozinha, mas Su Yun temia que, sem uma plateia, sua performance passasse despercebida. Quando ela pensava que logo se tornaria um monte de pó branco dentro de um incinerador em chamas, seu coração se contraía.

E se ela não derramasse nenhuma lágrima no momento de sua morte? Su Yun era incapaz de prever como reagiria. Quando tentou imaginar seu último suspiro, pensamentos desvairados flutuaram em sua mente como pétalas secas caindo de um buquê de flores murchas. Uma risada subiu da boca de seu estômago.

Sua vida parecia a sequência de máximas que ela copiava das revistas e depois rasgava e atirava no chão. Essas máximas lhe davam força e percepção. Ela aprendeu, por exemplo, que "um sábio deve assumir o disfarce de um tolo". Além de rabiscar essas máximas, Su Yun também gostava de copiar passagens dos livros de Milan Kundera que zombavam da fragilidade feminina.

— Ele realmente deve odiar mulheres — ela falava consigo. — Ele insinua que, sem nós, o mundo seria um lugar melhor. Que audácia! Mas devo admitir que meu comportamento estúpido de hoje realmente parece apoiar essa tese.

Su Yun se sentia como se tivesse vivido cem anos. Tudo que acontecia no mundo lhe parecia uma tediosa repetição de algum evento passado. Certo dia, ela decidiu escrever uma peça sobre uma mulher que quer cometer suicídio. Tentou permanecer objetiva, mas não pôde evitar escrever sobre si mesma no roteiro. Enquanto trabalhava em sua peça suicida, Su Yun continuou a carreira como atriz, tendo que morrer dia após dia no palco. O desgaste era tão grande que ela mal podia suportar. Em meio a sua angústia, uma nova ideia lhe ocorreu. Ela decidiu que, em sua peça, retornaria da morte para encenar seu suicídio mais uma vez.

Com os pensamentos tomando forma, Su Yun se sentou à escrivaninha e se pôs a trabalhar no segundo esboço. Primeiro ela delineou os contornos do protagonista, que era um híbrido de seu atual namorado — um pintor que trabalhava no museu municipal — e diversos outros homens que conhecera.

Su Yun fez o protagonista um pouco mais alto e robusto que seu namorado e lhe deu uma voz sorumbática que sugeria uma natureza sentimental e uma longa história de decepções amorosas. Fez com que ele pronunciasse entre os dentes tortos e manchados de tabaco alguns termos e frases vulgares que enchiam as últimas revistas — palavras como Q.I., iluminação espiritual, "meu coração despedaçado", "tão vil que me faltam palavras" e "rabo de saia". Era essa sua ideia do homem perfeito.

Na vida real, esse homem era frio e arrogante e lhe mostrara pouco respeito. Mas, em sua peça, ele se tornava seu servo — carne sob seu bisturi, que ela podia dissecar e analisar à vontade.

Tendo designado a posição correta para ele, Su Yun sorriu consigo mesma e baixou a caneta. Ela sabia que, quando se lida com gente, primeiro é essencial designar posições. Isso não se aplicava apenas a ela e ao homem, mas aos 4 bilhões de outras pessoas do planeta. Nenhum contato humano é possível sem primeiro designar posições. Se duas pessoas conversam sem conhecimento prévio de suas respectivas posições sociais, nada alcançarão. Seria melhor se estivessem falando sozinhas.

Antes de erguer a pena novamente, ela folheou o caderno e leu algumas frases que rabiscara sobre o homem:

> Ele está deitado na cama, reclamando do quanto está cansado. É tudo um teatro. Ele só quer que eu vá até lá para que possa me puxar e fazer o que quer comigo. Ele não ejaculou quando fizemos amor ontem à noite, então está desesperado por meu corpo.
>
> Tenho notado que, desde que levou o cachorro de três pernas para casa, ele passou a me dar menos atenção, e sua visão de mundo parece ter amadurecido.

Su Yun se sentiu distante dessas declarações. Lendo-as agora, pareciam os sonhos vagos e sombrios que se esvaem quando acordamos de um sono profundo. Ela achava difícil separar as histórias que tinha escrito dos eventos de sua vida real. Contudo, já se via como atriz principal de sua peça, e o único membro da plateia.

Pouco a pouco, a atriz sentiu que sua vida estava sendo tomada pela personagem de sua peça, ou que se tornara aquela personagem na vida real — uma mulher fracassada que tinha a impertinência de dizer aos outros como deveriam levar suas vidas. Suas diferentes identidades sofriam de diferentes aflições, tornando impossível saber qual era sua posição em relação aos outros. Su Yun ansiava por fugir e se libertar de sua existência problemática. Ela tentou tomar uma overdose de comprimidos para dormir, mas não conseguiu perder a consciência. Depois consultou as obras de Heidegger, na esperança de usar sua filosofia para desembaraçar a bagunça de sua cabeça, mas, após ler alguns tomos por alto, descobriu que Heidegger era ainda mais confuso que ela.

Percebendo que não tinha mais nenhuma escolha, Su Yun decidiu acabar com sua vida de uma vez por todas tentando suicídio.

— Quem dera todo mundo pudesse se dar bem com os outros! — berrou ela.

Su Yun queria sair e falar com o pintor, o homem por quem sentia amor e piedade a um só tempo. Mas, desde que começara a cuidar do cachorro de três pernas, ele parecia ter perdido o interesse nela. Tudo que ela podia fazer agora era escrever sua peça, incorporá-lo na narrativa (quer ele gostasse disso, quer não), e depois se matar por ele, para preencher o vazio de sua alma.

Ela estava constrangida com sua peça. Tinha medo de olhar para o que tinha escrito porque sabia que havia pouca diferença entre sua vida e seu texto. Reler seria o equivalente a voltar a seu passado. A identidade do texto estava marcada por todos os seus traços e experiências. Ela começou a se acostumar a chamar a mulher do texto de "eu".

À medida que as semanas passavam, Su Yun se sentia como um cacho de uvas fermentando na substância pegajosa da vida, esperando por se destilar num vinho puro e transparente e depois evaporar em fino ar.

"A vagina é uma pista de dança extremamente depravada", rabiscou no caderno.

Seus pensamentos repassaram a última década. O pintor provavelmente foi seu parceiro mais duradouro nesta pista de dança. Outros homens que apareciam de vez em quando, incluindo o escritor profissional, o doador de sangue e um amigo da escola de teatro, só ficaram por tempo suficiente para dançar um tango ou uma jiga antes de sumir de cena. Embora ela não estivesse disposta a incluir esses personagens menores em sua peça, também não podia apagá-los de sua memória, e, por fim, eles conseguiram encontrar um jeito de entrar no texto de uma maneira ou de outra. Constantemente oscilando entre a peça e a vida, sua mente tornou-se confusa e febril.

Quando Su Yun não estava trabalhando na peça, o vazio que a dominava ao amanhecer, ao meio-dia e especialmente em tardes de verão derrubava seu ânimo. Ela suspeitou de que sua escrita fosse apenas uma desculpa para passar o tempo.

— Tudo que concluo é estúpido e sem sentido — escreveu para si mesma diversas vezes.

Mas Su Yun precisava continuar escrevendo. Mesmo sabendo que tinha pouco controle sobre suas ações, sentia que estava participando delas de alguma maneira. Ela suspeitava de que o escritor profissional estava escrevendo a seu respeito secretamente, e isso aumentava sua inquietação.

— É culpa de Deus. Ele é a causa de todos esses problemas — vociferou ela em seu texto. — Por que Ele me pune dessa maneira? Primeiro eu vivi em Suas mentiras, depois vivi nas minhas. Agora já não sei mais se tudo isto também não passa de uma mentira. Preciso acreditar que todo mundo vive desse jeito. Você me pergunta por que eu minto. Bem, eu poderia perguntar a você: "Por que não deveria mentir?" Você nunca ouviu alguma das mentiras d'Ele?

Quando se acalmou um pouco, ela baixou a cabeça, pensou por um momento e depois começou a planejar o cenário para sua peça.

— O cenário no fundo do palco será uma peça única de compensado — escreveu no caderno. — Se houver um relógio no departamento cenográfico, pendure-o. Se não, pinte um, mas certifique-se de afixar números de metal nele. Quando o relógio bater a hora, os assistentes de palco devem correr para trás do compensado e mudar os ponteiros para 23 horas. (Uma marca deverá estar pintada atrás do relógio para mostrar aos assistentes até onde mover o ponteiro.)

"Figurino: a protagonista deve usar um dos tais penhoares criticados no último memorando da Política de Portas Abertas. Se o secretário do Partido no clube permitir, os três botões do alto podem ficar abertos e as mangas enroladas um pouco para cima. Determinar isso de acordo com os atuais estágios da reforma. As cadeiras devem ser anteriores à campanha contra os quatro velhos. O secretário do Partido deve compreender que a protagonista é corrompida pelos males da Liberalização Burguesa, e não é apropriado que ela se sente numa cadeira de estilo revolucionário. A mesa no canto da sala pode ser falsa."

Das pilhas de papel sobre a mesa, ela pegou algumas páginas de texto e começou a ler em voz alta. Era uma cena em que seu alter ego, Su Su, é visitada por Li Liao e o Velho Xing — dois personagens baseados, respectivamente, no escritor profissional e no doador de sangue.

Uma única saleta no dormitório dos atores acima do centro de artes do Distrito Jiefang.

LI LIAO: [*Bate à porta.*] Su Su! [*Bate novamente.*] Sou eu! [*SU SU se levanta vagarosamente da cadeira e caminha em direção à porta.*] Eu a esperei por duas horas no restaurante. Achei que alguma coisa tinha acontecido com você.

[*LI LIAO entra e para junto à cadeira de SU SU. Seu rosto enrugado se assemelha a uma noz. SU SU desvia os olhos e entrelaça as mãos sobre o peito.*]

LI LIAO: Qual é o problema? [*Ele nota a expressão constrangida no rosto dela.*]

SU SU: O Velho Xing acabou de passar por aqui.

LI LIAO: E?

SU SU: Eu disse sim. Respondi que me casaria com ele.

[*Aqui, o ator que interpreta LI LIAO pode improvisar em suas expressões, mas não pode recorrer a derrubar a cadeira.*]

LI LIAO: Faz quase um ano que nos vemos e nunca tivemos uma briga. Por que você quer se casar com ele?

SU SU: O fato é que eu não amo você.

LI LIAO: Mas você me disse que me amava.

SU SU: E daí? Por que acredita em tudo que eu digo? Não foi você mesmo quem disse que as mulheres são incapazes de falar a verdade?

LI LIAO: Eu me acostumei com a forma como suas palavras diferem de suas ações. Na verdade, estou até começando a achar que é uma coisa doce.

SU SU: Sinto muito, as mulheres são feitas de sal, e não de açúcar...

Su Yun levou as páginas para a cama e se deitou. Na sala de ensaios abaixo, a orquestra do centro de artes afinava os instrumentos. Ela acendeu um cigarro com uma mão e continuou a ler o roteiro.

LI LIAO: Como pode se casar com ele? Você realmente acha que ele é melhor do que eu? Quando ele fica em pé, nem mesmo alcança seus ombros. É porque ele tem dinheiro, e porque seus bolsos estão cheios de certificados de câmbio estrangeiro e cupons de cotas de ovos? Ou isso é um de seus joguinhos? É só mais uma encenação?

A orquestra abaixo estrondeou num súbito crescendo. Soava como um terremoto. Acima do barulho, uma soprano trinava sedutoramente: "*As moças são belas como flores. Como os homens adoram admirá-las!...*"

Su Yun já não podia ouvir sua própria voz. Ela repetiu: "É só mais uma encenação?" com o máximo de sua voz, mas as palavras foram afogadas pela música.

Ela ouviu trompas francesas e trombones lutando para tocar em uníssono. Os tambores eram tão altos que as tábuas do chão trepidavam e o velho abajur na escrivaninha falhava. Ela notou que um olho do gato branco na imagem emoldurada na parede passava de azul a vermelho.

LI LIAO: O que fiz de errado?

SU SU: Não pergunte, não pergunte. [*Ela agora está quase gritando, mas sua expressão ainda é calma.*] Deveríamos colocar um ponto final nisso. Há séculos que deixei de amar você. Eu só dizia que o amava quando estava no calor do momento. Isso não conta.

LI LIAO: O que está dizendo agora conta?

SU SU: Sim.

LI LIAO: Não acredito em você! Já a ouvi dizendo isso centenas de vezes.

[*Eles se encaram ferozmente. A expressão dura de* SU SU *destoa de seu penhoar florido. Os assistentes de palco devem se preparar para virar os ponteiros para as 23 horas quando o relógio badalar.*]

SU SU: Está ficando tarde, você deveria partir.

[*Quando* LI LIAO *está prestes a disparar para fora do palco, o* VELHO XING *entra pela porta. Ele usa um terno ocidental e sapatos de plataforma. Parado a seu lado,* LI LIAO *parece um vagabundo em sua camisa surrada e sapatilhas gastas.* O VELHO XING *se abaixa, pega um presente de sua bolsa e, com as duas mãos, oferece-o a* SU SU.]

VELHO XING: Isto é para você. É um pacote de cigarros importados.

SU SU: Obrigada. Não precisa tirar seus sapatos. Entre, entre!

"*Pátria-Mãe gloriosa. O lugar em que cresci. Nesta infinita vastidão de...*" Quando a soprano fez uma pausa para recuperar o fôlego, Su Yun gritou novamente: "Entre, entre!" A soprano esbravejou um último "*AAAAH*" enquanto os tambores trovejavam num frenético clímax, e, de repente, uma mágica tranquilidade desce sobre o quarto — uma calma semelhante ao alívio que alguém sente após revelar seu corpo nu a outra pessoa pela primeira vez. Su Yun baixou a voz a um sussurro.

LI LIAO: Então, quando você aceitou o pedido dele?

SU SU: Há uma hora.

LI LIAO: Bem, quer dizer que é o fim.

SU SU: Tenho o direito de escolher meu próprio caminho na vida.

LI LIAO: Sim, mas não tem direito de mentir.

"Isto não é verdade", Su Yun rabiscou furiosamente no texto, abaixo das palavras "Eu respondi que me casaria com ele".

Na verdade, ela nunca amou nenhum desses dois homens. Só se envolveu com eles porque queria causar ciúmes no pintor e arrancá-lo de sua apatia. Mas seus dotes teatrais ainda eram muito rudimentares na época, e ela tinha pouca compreensão de seu papel. Na realidade, tudo que ela queria era uma chance de exibir seus encantos femininos e enredar homens em sua teia de mentiras. Neste mundo, as mentiras são inevitáveis e, às vezes, muito úteis. Os homens presumem que as mulheres só choram quando estão nervosas, mas as mulheres sabem muito bem que suas lágrimas caem com a mesma facilidade do mijo.

Su Yun enxugou as lágrimas, baixou a caneta e se examinou no espelho: um pouco mais alta que a média das mulheres, um par de grandes olhos escuros que atraíam a atenção de cada homem que passava. Ao que lhe parecia, sua beleza só tinha utilidade para os homens, e era um aborrecimento para si mesma (mesmo assim, ela teria ficado incomodada se as pessoas parassem de admirá-la). Su Yun sabia que, desde uma idade tenra, fora forçada a empregar grande parte de suas energias afastando os avanços lúbricos de seus admiradores e, consequentemente, perdera de vista as coisas mais importantes que deveria estar fazendo de sua vida.

Por outro lado, escrever essa peça lhe dava um sentido de valor interno. À medida que ela trabalhava no roteiro, os homens de sua vida saíam de sua pista de dança e recuavam para seus assentos no corredor. Finalmente, ela podia assumir o papel principal e seguir em frente com a cabeça erguida. Su Yun caminhava nas nuvens. Agora, cada homem que ela encontrava parecia tão inexpressivo quanto um boneco de cera. Su Yun ficava tomada de repulsa pela expressão triunfante que eles tinham no rosto depois de dormir com ela. O amor sempre acaba em fracasso, dizia a si mesma ao fim de cada caso.

"Quem você pensa que é? Seu miserável!", rabiscava para si nas margens de seu texto.

Certa noite, no verso do roteiro, ela escreveu uma carta ao pintor:

> Meu querido, chegou a hora de nos separarmos. Será que um dia você saberá o quanto o amei? A vida é uma ilusão, só você é real. A única coisa que meu suicídio provará é que sou um fracasso, e que não tenho nada de que me orgulhar.

Quando eu estava com você, minhas mãos estavam repletas de pétalas de amor. Sem pensar, eu as lancei no ar e o vento as levou embora.

Os personagens da peça e de sua vida a esgotavam. Su Yun tentava adivinhar quais planos o escritor profissional que elaborava uma história a seu respeito tinha para seu futuro; também tentava adivinhar o que ela própria planejava para seu futuro, e quem mataria quem. Esse estado de calma exterior, mas inquietação interna, fazia com que ela se lembrasse de dois atores que vira nadando na televisão usando grandes figurinos de polvos. Ela pôde sentir a dor que sentiam por terem que se mover tão vagarosamente e com aparente facilidade. Agora, Su Yun vivia na calma que anunciava a chegada da meia-idade. Sabia que o tempo estava acabando, e desejava que ela própria ou o escritor pusessem um fim rápido à sua história e a destinassem ao esquecimento.

Contudo, assim que se associou à personagem de sua peça, seu ânimo se elevou um pouco. Su Yun não percebia que escrever é um ato de vaidade sem sentido, e que estava apenas emendando algumas pessoas e eventos de modo a fazer com que sua vida parecesse mais interessante. Ela pegou o papel principal de sua peça e, através de seus olhos, pôde ver quão estúpidos e ingênuos são os homens. Ela se perguntava como essas pobres almas podiam ter esperança de encontrar uma "companhia graciosa" numa geração de mulheres que cresceram lendo *Análise da ditadura do proletariado* e *A queda de Chiang Kai-chek*. As mulheres de hoje são corrompidas. Como se pode esperar que uma moça que cresceu lendo *Obras escolhidas de Mao Tsé-Tung* seja culta, elegante ou refinada?

"Os homens nos obrigam a usar essas bugigangas", escreveu para si mesma. "Quando se apaixonam, eles nos dão joias e roupas e deixam que nós os manipulemos entre nossos dedinhos. Nunca veem os pensamentos vulgares que se escondem sob nossos sorrisos. Todos os meus gostos e ideias são formados para benefício deles. Os homens se apaixonam pela mulher que criam em nós."

Su Yun se lembrou do lobisomem apresentado num documentário de televisão. Alguns dias depois que ela viu o programa, o lobisomem reapareceu para seus olhos, surgindo entre um homem e uma mulher que se abraçavam. Mais tarde, ela o viu espiando furtivamente entre duas casas de tijolos, sob a aba do chapéu de uma garotinha, dentro de um ônibus e atrás da vitrine de uma loja. O lobisomem só podia ficar em pé nas quatro patas. Ela sempre tinha pavor de que ele aparecesse um dia entre as linhas de sua peça.

Lentamente, ela se deu conta de que sua personagem estava planejando algo que ela só poderia descobrir depois que o evento acontecesse. Em seu roteiro, Su Yun se colocava em situações que jamais teria experimentado na vida real (embora mais tarde ela percebesse que essas situações eram, na verdade, variações de eventos de seu passado). Dessa forma, ela conseguia separar o espírito do corpo e colocá-lo numa posição em que podia aprender coisas novas sobre si mesma e descobrir como os outros se comportavam em relação a ela. Su Yun era como o lobisomem, espreitando num canto escuro, observando a si mesma.

Primeiro ela percebeu que a inocência que projetava no passado era uma falácia. Descobriu que estava constantemente calculando e, mesmo quando entrava em êxtase com o cheiro de flores frescas e a visão dos céus azuis, sempre tinha um olho em alerta. Até quando estava imersa na escrita, ela nunca conseguia fechar aquele olho. Em sua peça, Su Yun lentamente revelava a feiura que uma mulher prefere manter escondida: o mau hálito que espreita por trás de seus perfeitos dentes brancos; a mecha de cabelo que parece cair casualmente sobre o rosto mas que, na verdade, está deliberadamente escondendo um queixo grande; o silêncio que ela adota para mascarar sua ignorância; as roupas frouxas que usa para esconder seios pequenos. Enquanto revelava esses segredos, Su Yun subitamente teve um vislumbre de uma bola de luz, o brilho misterioso que se acende após uma tentativa de suicídio.

Quando a primeira cena do segundo ato estava concluída, Su Yun ganhou confiança de que seria capaz de terminar a peça e começou a se observar com mais atenção. Primeiro ela analisou suas reações aos gestos masculinos, ao calor corporal, aos fluidos grudentos e aos sons e cheiros que emanavam de seus órgãos internos. Ela se lembrou da primeira vez que viu os testículos escuros e sujos de um homem e o talo enrugado que pende entre eles. Depois recordou como o tal homem se atirou em cima dela, e como o buraco de cujo uso ela não suspeitara até então foi tomado de repente pelo talo, num movimento abominável. Depois que dormiu com aquele homem, ela percebeu que nunca mais poderia se sentir tímida ou inocente outra vez. Quando deixou que o homem seguinte espalhasse sua gosma branca e grudenta por suas coxas, ela se sentiu suja e violada. Su Yun percebeu que já não era uma criança e que, se quisesse parecer semelhante às outras mulheres, teria que caminhar no mundo com um sorriso no rosto, mesmo quando se sentia suja como se lhe tivessem esfregado um pano gorduroso pelo corpo. Ela compreendeu que teria que começar a fingir e que era isso que todo mundo fazia. Todos tinham que aprender a ocultar seus sentimentos e seguir com a vida.

Com o passar do tempo, ela se acostumou aos pegajosos fluidos masculinos e às várias maneiras como os homens se moviam: marchando pelas ruas com as cabeças eretas, gingando para a frente e para trás durante o sexo, mastigando a comida ruidosamente nas refeições. Ela descobriu a crueldade e a fraqueza dos homens e se habituou ao cheiro de seus pés e sapatos sujos e ao fedor do tabaco em seus dentes.

"Eles invadiram cada parte de mim", escreveu Su Yun. "Queriam minha castidade, mas não a respeitaram. Eu queria seu amor, mas eles só mostravam os paus e esguichavam seu esperma sobre meu corpo. Destruíram todos os meus sonhos. Onde posso encontrar amor agora? Eles poluíram todas as fontes. Só porque me roubaram a inocência, isso significa que devo me desnudar e expor a eles cada parte de mim? Se eu não fingir, como poderei encontrar amor? Os homens não são em nada melhores que cães. Eles acreditam que, quando erguem as patas para mijar, o chão abaixo se transforma em seu território. Se eu não esconder minha verdadeira natureza, como poderei satisfazer o desejo masculino por comedimento e refinamento feminino?"

Enquanto progredia com seu plano suicida, Su Yun teve um vislumbre de seu futuro e se sentiu calma e temerosa ao mesmo tempo. Ela temia que alguém adivinhasse seu estado mental; assim, antes de sair, sempre fazia questão de se vestir como uma mulher apaixonada pela vida.

— Todo sofrimento é criado pelo homem — dizia ela, tentando se consolar. — O sublime estado de confusão só é possível quando o coração está embotado. O suicídio é a única cura permanente para o desespero. — Su Yun se proibiu de pensar em seu nascimento ou sua morte. Sabia que os dois caminhavam em direções opostas, mas apontavam para o mesmo objetivo.

Quando decidiu que o suicídio era a forma natural de encerrar a peça, Su Yun arrancou as cenas em que vinha trabalhando anteriormente e recomeçou do zero. Seu objetivo era que a nova peça de ato único conduzisse sua vida a um término glorioso e radiante. Ela dedicou o novo texto ao amor em que outrora acreditara, desejando que isso apaziguasse seu coração partido. Su Yun telefonou para o Clube de Portas Abertas, um lugar cheio do tipo de gente de mentalidade liberal que aparecera desde o lançamento da política de reformas. Ela queria usar o clube para apresentar o clímax final de sua vida.

No centro do clube recém-construído havia uma grande quadra de basquete. O espaço sob a arquibancada era ocupado por salas de pingue-pongue, câmaras para ensaios, lojas, o escritório de uma associação em prol dos deficientes, um clube social para oficiais aposentados, um centro de planejamento familiar local, uma agência de encontros para cidadãos da terceira idade, um atacadão dos Biscoitos Vitória e um balcão da receita federal. Atravessando o clube, era possível ver jovens desempregados, gerentes de empresas, artistas, os dois anões que dançavam com a cantora do clube todas as noites, pintores à caça de belas modelos e mulheres em busca de seu príncipe num cavalo branco.

Alguns meses antes, o clube realizou o primeiro concurso de beleza da cidade após o lançamento da Política de Portas Abertas. Quando as jovens cruzaram o palco, um delicioso perfume emanou de suas coxas, mamilos, abdomes, pés, dorsos e nádegas, e tomou o salão da competição. A primeira parte do concurso era um questionário sobre os memorandos emitidos na Nona Conferência do Partido. A vencedora final tinha passado seis meses estudando os documentos e acertou todas as perguntas. O último teste era a competição em traje de banho. As mulheres valsaram delicadamente pelo palco enquanto um coro cantava ao fundo: "*Seguiremos os conselhos do Comitê Central do Partido; de manhã iremos aos lagos, mares e rios, e faremos nossos exercícios...*"

Dentro do clube, as pessoas podiam ter um gosto do que é viajar para o exterior. Elas se exibiam pelos corredores, trocando olhares de orgulhosa satisfação. As lojas embaixo das arquibancadas tinham cigarros e sabonetes americanos cujas embalagens mostravam imagens de mulheres estrangeiras em roupas íntimas. O sabonete não estava à venda; era mostrado apenas para chamar os clientes para dentro. Rapazes entravam na loja fingindo que queriam comprar alguma coisa só para se inclinar sobre o balcão de vidro e admirar os ombros suaves da moça de cabelo dourado; depois, com os corações acelerados, baixavam os olhos para os amplos seios cobertos pelo sutiã de cores suaves. A cada nova campanha contra a "Liberalização Burguesa", a embalagem do sabonete era reavaliada por censores do Gabinete de Informação e Propaganda, mas sempre conseguia passar no teste. Dava para dizer que a embalagem ficava na fronteira entre o pornográfico e o saudável.

Nas salas de vídeo e cafeterias do clube, os membros trocavam certificados de câmbio estrangeiro e cupons de racionamento. O clube se tornou o centro do mercado negro da cidade. Era possível encontrar cupons de óleo de amendoim, bem como os cupons de óleo diesel e títulos do tesouro nacional que foram introduzidos após o lançamento da Política de Portas Abertas. Dois ingressos para a apresentação mensal de filmes rotulados como "Somente Exibição Interna" (que apenas um grupo seleto de oficiais tinha permissão para "assistir e criticar") podiam ser adquiridos em troca de uma permissão para comprar na Loja da Amizade, geralmente reservada a visitantes estrangeiros. Se alguém estivesse embarcando num novo caso de amor, dois ingressos desses garantiam uma noite de paixão. Esses filmes ainda não tinham sido vetados pelo Comitê Central, então era fácil imaginar o tipo de cena que continham. Na cafeteria, também dava para trocar baterias de lítio por cigarros Marlboro, uma garrafa de vinho estrangeiro por uma bicicleta, uma cópia do *Amante de Lady Chatterley* pelo segundo volume do clássico erótico *Jin Ping Mei*, cem títulos do tesouro por um frasco de Nescafé, cupons de arroz tipo A por um cartaz exibindo a imagem de uma mulher loura de maiô. Também era possível conseguir cópias de formulários de aplicação e endereços de correspondência de cada grande universidade dos Estados Unidos, assim como uma lista dos nomes e telefones da equipe da Embaixada Americana em Pequim. Estes, claro, tinham que ser pagos com certificados de câmbio estrangeiro ou com qualquer coisa que tivesse associação remotamente "estrangeira". Com um maço de CCEs e algumas permissões de compra, era possível passear pela Loja da Amizade sem ser parado pelos guardas. Com sorte, até dava para passar por um estrangeiro no interior da loja e pegar uma brisa de sua inebriante fragrância burguesa.

Su Yun sabia que o pintor às vezes visitava o Clube de Portas Abertas para assistir aos vários concursos de talento e beleza que aconteciam ali.

Ela marcou hora com o gerente do clube e apareceu no escritório no horário combinado. Ele era filho de um comandante do antigo Exército Vermelho. Embora estivesse na casa dos 40 e tivesse um queixo pequeno e simiesco, as linhas de sua testa, em constante movimento, sugeriam que ele estava na vanguarda do processo de reforma. Durante a Revolução Cultural, ele foi mandado para a prisão porque seu pai foi lacaio do marechal traiçoeiro Peng Dehuai. Seus pulsos ficaram deformados pelas algemas e, já que sua tia vivia no exterior naquela época, ele foi acusado de ser agente secreto e acabou submetido a mais torturas. Contudo, após a instauração da Política de Portas Abertas, a ligação com o exterior e os bolsos cheios de CCEs lhe deram liberdade para entrar e sair da Loja da Amizade sempre que bem queria.

Após a reabilitação póstuma de seu pai, ele usou o dinheiro da indenização para instalar o clube e se lançou na nova carreira com enorme entusiasmo.

— Quero tomar parte em seu espetáculo "Todos São Felizes" — disse-lhe Su Yun, sentando-se na poltrona. — Realizarei o espetáculo mais inovador que esta cidade já viu.

— Você é do centro de artes do Distrito Jiefang, estou certo? — perguntou o gerente.

— Os jornais relataram que este espetáculo é muito popular no Japão.

O afeto do gerente por tudo que era estrangeiro tornara louros os pelos de sua barba; seus pequenos olhos preto-azulados eram uma fusão harmoniosa entre Oriente e Ocidente. Agora, esses olhos estavam claramente atraídos pelos seios de Su Yun, maiores que a média.

— Meu espetáculo quebrará recordes de venda de ingressos para seu clube — declarou ela calmamente.

— Já a vi no palco — disse o gerente, subitamente recordando sua performance como pastora patriótica.

— Não espero qualquer participação em seus lucros. Tudo que quero é um ingresso de graça.

— Que tipo de espetáculo você tem em mente? — O gerente não estava interessado na resposta, ele só queria uma desculpa para continuar conversando com ela. Na verdade, havia meses em que as performances para seu espetáculo "Todos são felizes" estavam definidas.

— Que tipo de música incidental você pode prover? — perguntou ela.

— Mesmo que seu espetáculo seja aceito pelos censores, sinto que você terá que esperar até o próximo ano para realizá-lo.

— Isso não será possível. Devo apresentá-lo dentro dos próximos três dias — respondeu Su Yun, fitando os olhos redondos por trás dos óculos importados.

— Então, que espetáculo é esse, afinal? — perguntou ele.

— Suicídio.

— Suicídio? — O gerente nunca tinha ouvido falar dessa peça. Teve que fazer uma pausa e pensar por um instante. — E é o espetáculo mais atual no Japão, você diz?

— Sim, saíram artigos a respeito nas revistas.

— Envolve morte de verdade ou é só arte performática? — perguntou o gerente, tirando os óculos.

— É suicídio real, diante da plateia. — Depois que essas palavras deixaram sua boca, ela ficou desapontada por terem soado tão inexpressivas.

Era um dia quente, e a penugem dos ombros de Su Yun se afogava numa fina camada de suor. Um leve prurido irrompera em sua pele, e seus seios pareciam desconfortáveis e pesados. Seu abdome ligeiramente flácido se avolumava embaixo da camisa branca justa como um bolo de arroz cozido. Sentindo uma umidade azeda se espalhando na parte inferior de seu corpo, ela cruzou as pernas, expondo os tornozelos de belas formas.

— E como é que a plateia vai ficar assistindo enquanto você encontra sua morte, sem querer correr para o palco e resgatá-la? — perguntou o gerente, aspirando os aromas leitosos que emanavam do corpo dela.

Por fim, Su Yun conseguiu fazer com que a peça tomasse precedência sobre sua vida. Quando chegou em casa, ela pegou o caderno e escreveu tudo que foi dito durante a reunião.

GERENTE: Provavelmente você terá que se registrar no Centro de Prevenção ao Suicídio primeiro.

SU SU: Todo mundo já me conhece por lá. Além disso, andam tão sobrecarregados de trabalho que daqui a pouco eles mesmos vão acabar cometendo suicídio.

GERENTE: Por que não fingir que se mata, apenas? Você não precisa fazer de verdade na primeira vez.

SU SU: Ninguém mais sabe a diferença entre o que é real e o que é falso. De que outra forma eu poderia ter me safado com todas as minhas outras tentativas falsas de suicídio?

GERENTE: Passei quatro anos na cadeia sem considerar o suicídio nem mesmo uma vez.

SU SU: Você é mais velho que eu. Não tem uma consciência moderna. Sabia que já existem praias nudistas em países estrangeiros?

[*O gerente fica perplexo com essa chocante notícia de terras distantes. Ele se põe de pé e anda no palco de um lado para o outro. O volume da disco music ao fundo aumenta gradualmente.*]

GERENTE: Que faculdade você frequentou?

SU SU: A faculdade de educação. Com especialização em política.

GERENTE: É um dos mais excelentes institutos de educação superior do país. Meu filho também se formou lá.

SU SU: Não é um instituto de educação superior — é só uma escola onde as pessoas são trancadas e ensinadas a saber qual é seu lugar.

GERENTE: Os professores são excelentes.

SU SU: Seria mais preciso chamá-los de agentes penitenciários.

GERENTE: A morte é uma coisa aterrorizante.

SU SU: Senhor Gerente, eu já vi campos de trigo vazios após a colheita.

[*Ela balança a cabeça, emocionada. Sua expressão apaixonada está em agudo contraste com a postura suplicante que tinha ao entrar na sala do Gerente. Ela acende um cigarro, dá uma longa tragada e sorri sonhadoramente enquanto a fumaça flui de suas narinas.*]

GERENTE: Creio que ainda não recebi notificação das autoridades de que o termo "Senhor" pode ser empregado no local de trabalho.

SU SU: Você não ouviu dizer que o primeiro-ministro Deng usou o termo "Senhor Gerente" no banquete de Estado? Minha morte não mudará coisa alguma. O ar ainda estará aqui para você respirar. Se você compreendesse que não passa de um grão de pó nesta vida, saberia que o suicídio não é um assunto particular — ele precisa de plateia. Essa é a única razão pela qual o procurei hoje. Se fosse uma simples questão de me matar, eu não precisaria ter todo esse trabalho.

GERENTE: Você acabou de romper com alguém?

[*Uma luz brilha ao fundo, criando um crepúsculo no céu pintado.*]

SU SU: Só estou aqui para falar com você sobre o espetáculo. Preciso ir agora, Senhor Gerente.

GERENTE: Posso convidá-la para uma xícara de café no clube?

SU SU: Se for para continuar nossa conversa sobre a peça...

GERENTE: Contanto que você deixe um testamento e que seu ato promova a mensagem de que a civilização socialista está em marcha para o avanço, então...

SU SU: Você me deixará morrer bem ali no palco! Promete?

GERENTE: Seus planos ainda não me parecem completamente claros. O que esse ato envolverá exatamente?

SU SU: Vou alugar um tigre feroz do zoológico. Ele me perseguirá pelo palco, eu vou fugir e, no final, vou morrer entre suas garras.

GERENTE: Você não tem medo de tigres?

SU SU: Nasci no Ano do Tigre, mas é claro que tenho tanto medo de tigres quanto qualquer um.

GERENTE: Você é inacreditável! Vou deixar que faça. Também nasci no Ano do Tigre.

SU SU: Então você viveu 24 anos a mais que eu.

Neste ponto, o gerente subitamente voltou à razão. Ele encarou a pessoa "morta" sentada à sua frente e perguntou:

— Quanto dinheiro você quer por isso?

— Nada — retrucou ela. — Darei minha vida de graça. Mas, se qualquer parte de meu corpo por acaso lhe interessa, você está livre para fazer uso dele esta noite. Amanhã já não servirá para nada.

As rugas na testa do oficial subitamente desapareceram.

Três dias depois, um aviso de um tipo jamais visto foi afixado ao posto de entrada do Clube de Portas Abertas.

> ESTA NOITE NOSSO CLUBE APRESENTARÁ A PERFORMANCE MAIS INOVADORA DO PLANETA: SUICÍDIO! IMPORTADA DO JAPÃO, NAÇÃO ALTAMENTE DESENVOLVIDA, A PEÇA SE BASEIA NO CONCEITO JAPONÊS DO HARAKIRI. O ESPETÁCULO ACABARÁ COM TODA A SOLIDÃO NO CORAÇÃO DA SUICIDA. ATUALMENTE, HÁ UMA LISTA DE ESPERA (REMONTANDO ATÉ 1997) DE INDIVÍDUOS REQUISITANDO COMETER SUICÍDIO DIANTE DE UMA PLATEIA. ESTA NOITE, A ATRIZ É A CAMARADA SU YUN. DESCENDENTE DE UMA FAMÍLIA DE CAMPONESES POBRES, ELA É MEMBRO DE LIGA E ESTÁ NO ÁPICE DE SUA JUVENTUDE — UMA JOVEM DE BELEZA IMPRESSIONANTE. SE VOCÊ DESEJA VER ESTA ENCANTADORA MOÇA TIRANDO SUA PRÓPRIA VIDA, CORRA E COMPRE UM INGRESSO!
>
> INGRESSO: 1 YUAN
>
> DATA E HORA: 3 DA MANHÃ, 4 DE JUNHO.

Naquela noite, o clube foi engolfado por dezenas de milhares de esperançosos espectadores. Qualquer um que tenha conseguido comprar ingressos na bilheteria se espremia no meio da multidão e vendia os ingressos por um valor dez vezes maior. Várias barracas de rua improvisadas surgiram em torno da multidão. Um homem vendendo casacos de náilon ergueu uma placa com os dizeres SE VOCÊ QUER ABRIR CAMINHO ATÉ A BILHETERIA, ESTES CASACOS DE NÁILON FACILITARÃO SUA PASSAGEM; os casacos sobre a mesa dobrável foram vendidos em questão de minutos. Em pouco tempo, os clientes que compraram os casacos de náilon eram vistos serpenteando através da multidão como baratas vermelhas. Cada um que se afastava da bilheteria aparecia com o casaco espremido até metade de seu volume anterior. Cinco infelizes donos de ingressos foram pisoteados e arrastados para longe dos pés da multidão. Quatro já estavam mortos.

Su Yun repassou a trama da peça em sua cabeça às pressas quando subiu ao palco na quadra de basquete. A plateia explodiu em aplausos extasiados, afogando a música "Mate o tigre e escale a montanha", que reverberava dos alto-falantes. O tigre feroz entrou no palco sobre as patas traseiras, acenando para a plateia; um time de atletas então avançou decididamente para o centro do palco, enquanto a plateia continuava a aplaudir e assoviar. O tigre logo ficou cansado e teve que voltar às quatro patas, mas ainda conseguia erguer a pata da frente para a plateia e acenar alegremente. Su Yun usava um conjunto de moletom branco e limpo, e uma flor de plástico presa atrás da orelha direita. Sua pele era rosada em contraste com as roupas brancas; ela parecia em ótima forma para ser devorada. Pela etiqueta azul, quem estava por dentro percebia que seu conjunto era importado e custara pelo menos cinquenta CCEs — calças produzidas nacionalmente não tinham aquela distinta etiqueta azul.

Su Yun olhou ao redor com um sorriso fixo no rosto, tentando adotar a expressão que o time de vôlei feminino da China usara no triunfante retorno dos Jogos Olímpicos. Infelizmente, o tigre estava olhando para o outro lado e não viu seu sorriso confiante. Enquanto os aplausos se elevavam num crescendo, Su Yun examinava a plateia em busca do rosto do pintor. Ela sabia onde ele estaria sentado. No dia anterior, ela foi procurá-lo no museu municipal, deu-lhe um ingresso e disse que era para seu monólogo. Quando o pintor perguntou qual era a peça que ela estava encenando, Su Yun respondeu que era um espetáculo sobre suicídio. Ele sorriu e disse:

— Parece bem intrigante. — Ela o procurou na plateia mais uma vez e, finalmente, teve um vislumbre de seus olhos dominados pelo pânico.

"Ele acha que estou mentindo de novo", Su Yun pensou consigo mesma, "ou fazendo um jogo. Mas, quando o tigre enterrar os dentes em mim, ele se arrependerá. Contudo, será tarde demais. Ele ficará perplexo ao ver meu pé desaparecer, ou minha orelha. Isso o trará de volta à razão. No momento em que o tigre saltar sobre mim, ele escalará a jaula de arame e virá em meu resgate." Su Yun acenou novamente para o pintor, e ele acenou de volta. O barulho da multidão diminuiu lentamente. Por um momento, ela perdeu o desejo de se apresentar, mas seu instinto profissional tomou o controle. Doze anos vivendo como atriz lhe permitiram manter a calma e avançar graciosamente para o centro do palco.

Su Yun respirou fundo e começou o espetáculo que escolhera após a conversa com o gerente do clube. Depois do início da canção "O Exército Popular de Libertação e o povo avançam juntos como peixe e água", ela começou uma mímica de que estava lavando as roupas dos amados soldados do EPL. Metade de sua mente estava concentrada na mímica, a outra metade no tigre. Ela sabia que, depois que pendurasse a roupa para secar, teria que dançar de volta ao alojamento do exército, e o tigre — aquele "inimigo da classe", com a expressão de um homem e o coração de uma fera — saltaria dos arbustos e enterraria suas presas em seu corpo. Depois que ela estivesse morta, o tigre seria capturado e preso. Mas, em seu caminho para o quartel-general da polícia local, um heroico soldado do EPL correria para vingar sua morte, enterrando uma baioneta nas costas do tigre. Marcando o local onde Su Yun seria devorada, os soldados ergueriam uma placa à heroína e depois cantariam "A Internacional".

Enquanto a trama corria por sua cabeça, seus passos se tornavam cada vez mais confusos. De repente, ela parecia uma marionete japonesa, saltitando para cima e para baixo ao ritmo das alegres batidas da música. Os gestos de que estava enxaguando as roupas não eram minimamente convincentes. O texto especificava que agora ela deveria erguer a saia, mergulhar as roupas numa bacia de água e batê-las com uma vara, tão fervorosamente quanto o herói fictício Wu Song batalhou com o tigre no famoso episódio de *Párias do Pântano*. Equívoca e infelizmente, o tigre interpretou seus gestos como sinal de agressão e soltou um horrível rugido. Su Yun estava ciente de que teria que improvisar grande parte da ação, porque não tivera tempo de encontrar o tigre antes do espetáculo e muito menos de fazer qualquer ensaio.

Su Yun saltitou pelo palco em pequenos passos (que certa vez lhe garantiram o segundo prêmio numa competição de dança local), aproximando-se cada vez mais do tigre. Ela gesticulou para que ele a encurralasse, mas o tigre entrou em pânico com seu movimento súbito e recuou três passos. Quando a música estrondeou novamente, Su Yun a usou como deixa para começar uma cantoria que expressava sua alegria por estar lavando as roupas do amado Exército Popular de Libertação. Ela colocou um pé na frente do outro e gingava os quadris de um lado para o outro. A ira explodiu em seu peito. "Por que ele está demorando tanto?!", ela se perguntava, decidida a não olhar para trás e ver o que o tigre estava fazendo.

— Tigre de papel! — xingou ela. Subitamente, sem qualquer aviso, o tigre saltou à frente e, muito antes do planejado no roteiro, cerrou suas mandíbulas em torno de seu tronco.

A plateia notou dois pequenos chifres aparecendo no alto da cabeça de Su Yun, e assistiu enquanto ela tentava usá-los para rechaçar a fera. O povo nas primeiras filas até ouviu que ela lutava para continuar cantando seus versos, ganindo: "*Os uniformes de nossos camaradas, os soldados do EPL...*"

O tigre continuava a mordê-la enquanto Su Yun tentava arrancar de suas presas o uniforme que estava lavando. Nem mesmo a música que anunciava a chegada dos amados soldados do EPL deteve a fera. Os termos do contrato estipulavam que o tigre tinha permissão legal de devorar todas as partes de Su Yun. O tigre tentou enterrar suas presas no crânio dela, mas os dois chifrinhos atrapalhavam, e então ele resolveu deixar a cabeça para depois e começou a mordiscar um de seus braços. Durante esse momento de alívio, Su Yun espichou o pescoço pelo espaço entre as pernas do tigre e fitou a plateia, que agora berrava de horror. A perna que não estava esmagada pelo peso do tigre ainda podia se mover livremente. Ela a ergueu no ar e observou a linha de palavras em inglês gravadas na lateral das calças de seu conjunto de moletom: QUANDO VIAJAR PARA FORA, SEMPRE USE BRANCO! DIZEM QUE AS RUAS EM PAÍSES ESTRANGEIROS SÃO LIMPAS COMO JARDINS PÚBLICOS. Logo, apenas sua cabeça com chifres podia se mover — todas as outras partes de seu corpo estavam esmagadas sob o peso do tigre.

Su Yun encontrou o olhar do tigre. Se a fera não tivesse espalhado sangue por seus olhos, ela conseguiria ver com clareza as belas raias de sua cara, muito mais vivas que as do tigre de brinquedo que ela tinha pendurado na parede (presente de aniversário de um antigo namorado). O tigre a olhava nos olhos enquanto mordia sua carne. Para sua surpresa, Su Yun até gostava da sensação de ser mastigada; nunca havia experimentado coisa parecida. A plateia gania de horror. O tigre limpou a boca ensanguentada no peito dela, e depois ergueu os olhos e observou o tumulto que irrompia nas arquibancadas. Su Yun aproveitou a pausa para virar a cabeça e olhar na direção do pintor; mas, infelizmente, seus patéticos chifrinhos obstruíam sua visão.

Presumindo que ela estava tentando escapar, o tigre enterrou as presas novamente em seu corpo e bloqueou o ar de seu nariz e sua boca.

— Eu amo você, meu querido — murmurou ela para o pintor. — Agora você sabe que eu não estava mentindo. Quero começar minha vida novamente.

Su Yun sentiu que o tigre mastigava a área abaixo de sua cintura. Já que não podia se mover, ela desejava que o tigre primeiro puxasse suas tripas para fora e cobrisse as partes que mais atraíam a atenção dos homens. Ela limpou o sangue de seu rosto e depois ergueu a cabeça, tentando conseguir um vislumbre do céu através da janela. Os chifres trêmulos em sua cabeça faziam com que ela parecesse muito agitada. Entretanto, em vez do céu, seus olhos recaíram nas palavras da faixa vermelha pendurada no palanque do presidente: DEFENDAM OS QUATRO PRINCÍPIOS FUNDAMENTAIS, CONSTRUAM O SOCIALISMO COM CARACTERÍSTICAS CHINESAS. Depois, ela viu o pintor sentado abaixo das palavras de ordem, absolutamente imóvel, encarando o palco impassivelmente.

— Eu amo você — disse ela ao tigre, sem um pingo de sarcasmo. Um segundo depois, os restos de seu corpo desmembrado se tornaram rijos.

— Que Deus tenha piedade de nós — diz o escritor. — Todo pecado tem sua punição.

— Todos recebemos o merecido quinhão — acrescenta o doador de sangue. — Mas espero que nós tenhamos o nosso ainda nesta vida.

— Você estava na plateia quando ela cometeu suicídio? — pergunta o escritor, esticando as costas.

— Quando quem cometeu suicídio?

— Aquela mulher. — O escritor não consegue se obrigar a dizer o nome dela. Sua sala de estar parece uma loja de quinquilharias, com pertences empilhados ao longo das paredes. A mobília inclui dois baús, a poltrona giratória, um banco de plástico, uma mesa dobrável doada pela Associação dos Escritores e um par de poltronas. Para dar uma aparência mais arrumada à sala, ele colou folhas de papel em branco sobre os rasgos deixados no papel de parede pelos ocupantes anteriores. A única imagem na parede era um esboço a lápis de uma moça, que uma ex-namorada lhe dera. Olhando para o desenho agora, o escritor se dá conta de que a imagem não é tão boa quanto parecera outrora. Ele pensa que, se houvesse uma mulher ali agora, e algumas peças de mobília a mais, a sala poderia ser um pouco mais confortável. Ele se inclina e coloca uma nova fita no aparelho. O *Réquiem* de Verdi enche a sala; a voz da soprano se eleva para o teto. O escritor se atira debilmente de volta à poltrona.

— Aquela mulher — repete ele, aumentando um pouco o volume.

O doador de sangue se levanta e anda pela sala. Talvez tenha comido demais. Quando apruma as costas, ele parece um pouco mais alto.

— Você acha que nós realmente nos entendemos? — pergunta ele.

O escritor encara o doador de sangue e responde:

— Nós nos entendemos melhor do que somos capazes de entender uma mulher. — Ele se inclina, abaixa o volume novamente e suspira: — Um homem cujo coração foi ferido deveria tomar cuidado em suas relações com mulheres.

— Fui estúpido por tê-la pedido em casamento. — O doador de sangue dá uma tragada em seu cigarro e depois atira a cinza num copo.

— Ainda não entendo por que ela ficou com você — diz o escritor. — Eu e ela éramos muito mais compatíveis. Partilhávamos dos mesmos interesses e gostos. Éramos até parecidos fisicamente. Mas olhe para você... baixinho e careca, não tem educação, não tem modos...

— Agora é passado. Deixe isso para lá. Somos amigos, não somos? O que importam as mulheres? Elas só querem um homem em quem se apoiar, nem interessa qual. Só os amigos se importam com o valor de um homem. As mulheres são produtos de seu meio. Elas querem sentir pena dos miseráveis e sugar os ricos. Juntos, nós dois suprimos essas necessidades dela.

— Isto é, você supriu as necessidades materiais e eu supri as necessidades espirituais dela — replica o escritor.

O doador de sangue apaga o cigarro e baixa a cabeça.

— O que você acha que a levou a fazer isso? — pergunta ele.

— Fico impressionado por ela ter conseguido viver por tanto tempo. Como ela sobreviveu por todos esses anos? — O escritor então limpa a gordura das mãos e diz a si mesmo: *Nós crescemos num vácuo espiritual, desligados do resto do mundo. Uma geração desperdiçada. Quando o país começou a abrir, nós fomos os primeiros a cair. A cultura estrangeira é a única religião agora, mas não temos nenhuma forma de compreendê-la ou apreciar seu valor. Meio século se passou, e de repente nos encontramos na floresta da vida moderna sem mapa ou bússola. Como uma sociedade alienada por uma ditadura pode chegar a achar seu caminho no mundo moderno? Somos incapazes de analisar as coisas com autonomia, não temos pontos de referência, sentimo-nos perdidos e sem chão. Fazemos um teatro superficial, cheio de arrogância para esconder nossa baixa autoestima.*

Os dois amigos observam as cascas de ovo vazias e os ossos descartados sobre a mesa. Sempre que chega este momento, eles percebem que terão que se recolher ao canto da sala e tomar seus lugares nas duas poltronas velhas.

— Por que você insiste em escrever sobre uma mulher da vida real? — pergunta o doador de sangue. — Seria muito mais fácil simplesmente inventar uma.

Ele se põe de pé, pega a garrafa de vinho e a leva consigo para uma das poltronas. Ainda há algumas gotas na garrafa. O escritor afunda na outra poltrona e ambos apoiam as cabeças contra a parede. Quando dois homens estão sozinhos, geralmente adotam essa posição casual para tentar esconder seu medo da intimidade. Sem esperar que o amigo responda, o doador de sangue acrescenta:

— Sei que você não consegue tirá-la da cabeça. Aquela puta. Ela mereceu morrer.

— Que coisa horrível de se dizer. — Uma expressão de ira cruza o rosto inchado do escritor.

— Vocês já tinham rompido quando comecei a sair com ela. Ou pelo menos estavam brigando o tempo todo.

— É isso que você chama de ruptura? — O escritor se lembra do dia em que Su Yun lhe disse que jamais queria vê-lo novamente.

— Claro, eu sempre disse que é melhor terminar com as mulheres gradualmente. Depois que ela chutou você, eu o aconselhei a ficar longe dela, mas você continuou a vê-la secretamente. Foi assim que as coisas aconteceram. Todos somos culpados.

— Então, qual você acha que é a melhor maneira de romper com uma mulher? — pergunta o escritor com um meio sorriso. Em seu coração, ele sabe que Su Yun se envolveu com eles unicamente para provocar ciúmes no pintor.

— Você tem que levá-la a um espetáculo, ou cinema.

— Sim, mas a maioria de nós não consegue lidar com

isso. — O escritor desvia os olhos e pensa consigo mesmo: Tanto Su Yun quanto eu estávamos seguindo caminhos contrários à nossa natureza, e no fim tivemos que voltar para o lugar de onde começamos. Os homens conservam seu ciúme escondido, mas as mulheres precisam encená-lo. Fomos nós que a destruímos? Ela realmente existiu? Lembro dela como um pedaço de vidro quebrado que refletia para mim uma ocasional centelha de amor.

— Você acha que ela era bonita? — pergunta o escritor após um longo silêncio.

— Não mais que qualquer mulher de boa aparência que vejo andando na rua — diz o doador de sangue, acendendo outro cigarro. — As mulheres são muito pragmáticas. Se uma delas para na sua frente com um olhar frio e impassível na cara, você deve se afastar imediatamente.

— Os olhos dela nunca mentiam — recorda o escritor. — Os olhos das mulheres só se iluminam quando elas nos desejam. Quando põem a mão em nós, a luz começa a fraquejar. — O escritor parece ter acabado de emergir de uma sala escura. Seus olhos estão enevoados. O doador de sangue está acostumado com esses modos distraídos do amigo. — Não há nada mais ridículo que pensar que o amor pode ser eterno — acrescenta o escritor. — A eternidade é uma estátua de bronze coberta de ferrugem verde. A eternidade é a morte.

— Nós nos iludimos ao pensar que o amor nos trará felicidade — replica o doador de sangue. De repente, a luz se apaga. No escuro, os homens são como dois rádios queimados, soltando fumaça. O homem da esquerda continua: — Dividimos as mulheres entre as bonitas e as feias. Na verdade, só nos apaixonamos por um rosto.

— Então você realmente a amava... — O homem da direita soa tão sombrio e oco quanto a parede às suas costas.

— Minha maneira de amá-la era diferente da sua. Ela dizia que eu podia lhe dar coisas que você jamais pôde.

— Que coisas?

— Você tem uma moto? Tem ingressos para o concerto da próxima semana? Tem CCEs? Pode levar uma mulher a um hotel onde os estrangeiros se hospedam? Provavelmente jamais chegou a pôr os pés na Loja da Amizade. Seu salário anual não é o bastante para comprar um par de sapatos italianos. Mas olhe para mim! Não apenas posso ir à Loja da Amizade e olhar os sapatos italianos, mas também posso comprá-los com meus próprios CCEs. O que as mulheres de hoje querem? A resposta é: tudo que você não tem. — A voz à esquerda soava tão roufenha quanto um balde enferrujado. — Veja, este meu isqueiro aqui é importado — acrescenta ele, acendendo o isqueiro com um *ttssaa*.

Quatro pontos de luz observam a chama azul, estranha. Depois, a chama subitamente se apaga.

— Quanto custou isso? — pergunta a voz da direita.

— Está cheio de gás. Se você conhece uma mulher que fuma, só precisa acender o cigarro dela com isso e ela é sua.

— Deveríamos pensar em mulheres do mesmo modo em que pensamos em isqueiros — diz a voz da direita. Ele pensa consigo: *Este meu isqueiro está muito velho. Já está na hora de arranjar um novo.*

As duas sombras ficam em silêncio na sala escura. A escuridão os leva de volta às suas memórias. Um clarão da imagem da atriz passa por seus olhos — ou por seus corpos.

O homem da esquerda diz:

— Sexo é uma coisa boa. Transforma amor em ação.

— Eu não acho que as mulheres dão mais importância ao sexo que os homens. Elas são criaturas emocionais. Se não sentem afeto por você, seus corpos ficam rijos como madeira.

— Nem todo mundo pode ver as coisas como você. Mas, se eu pudesse escrever, tenho certeza de que seria melhor escritor que você. Eu conheço o mundo real. Você só escreve para preencher seu vazio interior, não tem nenhuma experiência em que se inspirar. Você vê a vida em termos de tragédia e mito. É obcecado com seu medo da morte. Mas a morte é algo que todo mundo tem que atravessar, não há nada particularmente interessante nela.

— A corrupção e o sigilo se tornaram as únicas leis deste país.

— Você nunca pôde obedecer a essas leis — comenta o homem da esquerda. — Você apenas se tranca aqui em cima, vive com medo, culpa todo o resto do mundo por seus problemas. Nunca ousaria pegar o touro pelos chifres e mudar sua vida, ou lutar com todas as forças para se salvar.

— A lei só protege quem está no poder. O resto de nós está condenado a representar a vítima.

A possuidora *ou* O possuído

A cada manhã, ele acordava ao lado da esposa e contava as horas até seu encontro adúltero seguinte. O anseio amoroso se infiltrava em seu corpo como álcool, e ele saboreava o torpor de sua carne e o tremor dos vários órgãos. Era como se ele se refestelasse em um Jardim do Éden mágico.

Se a funcionária da fábrica de tecidos não tivesse arruinado tudo, talvez ele tivesse podido continuar com sua vida — ao menos ainda estaria sentado atrás de sua mesa de editor-chefe, esperando que os passos do carteiro anunciassem a entrega matutina de cartas de amor que se derramavam sobre sua mesa como vinho, prontas para sua vagarosa degustação.

Desde que o editor da revista literária bimestral da cidade descobriu essa nova forma de escapismo, ele passou a chegar ao escritório nas primeiras horas da manhã, fazendo cuidadosamente para si uma xícara de chá, recolhendo os cabelos (a maioria brancos e grisalhos) caídos sobre a mesa, discretamente empurrando para o lado as cartas endereçadas a "O Editor" (nota: não havia plateia para esses gestos; ele os executava puramente para si mesmo) e, depois, com o canto do olho, avaliava os envelopes, procurando uma caligrafia que reconhecesse ou estivesse esperando. Depois de passar o dedo nas rugas dos cantos dos olhos para remover os grãos de muco ressequido, seus olhos e sua cabeça de repente se lançavam em direções opostas, como um gato que deliberadamente desvia os olhos antes de saltar sobre a presa. Ele então removia os novos e estilosos sapatos de couro, puxava a gaveta mais baixa da escrivaninha para servir de apoio para o pé e abria uma cópia do *Diário do Povo* para esconder seus pés descalços das vistas de alguém que entrasse na sala por acaso. Depois, ele oscilava de um lado para o outro na poltrona giratória, deixando que seu pequeno corpo criasse um nível satisfatório de ruído, recostando a cabeça contra o espaldar da cadeira e fitando o teto. Enquanto seus ombros ossudos relaxavam vagarosamente, ele esfregava loção hidratante nas mãos, que eram secas e enrugadas de tantos anos cozinhando e lavando, e só depois começava finalmente a abrir as cartas.

Às vezes, quando o editor deixava o mundo mágico das cartas de amor e retornava à vida real, ele piscava repetidamente e comprimia as pálpebras. Ele tinha lido que esses exercícios ajudavam a recuperar o semblante jovial, ou pelo menos davam aos músculos faciais um condicionamento mais expressivo. Era algo extremamente importante para um homem com mais de 50 anos e que apenas recentemente embarcara numa vida amorosa secreta. Às vezes ele trincava os dentes no caminho para o trabalho, comprimindo as mandíbulas ao ritmo dos passos. Esse exercício impedia que ele recaísse num devaneio — e também melhorava sua aparência.

Assim que abria os envelopes, ele sabia pela caligrafia se era um original ou uma carta de amor. O editor tinha três gavetas cheias de cartas de amor enviadas a ele por jovens escritoras. Algumas eram de autoras sérias que simplesmente queriam ser publicadas; outras de moças desejando se apaixonar; outras de jovens mulheres cujo respeito pelo talento literário do editor evoluíra para uma paixão amorosa. Ao longo dos dois anos anteriores, o editor publicou em sua revista poemas como "A estrada da vida é sinuosa", "Você me deixou, mas não consigo deixar você", "Mais um crepúsculo", "Uma folha outonal entra suavemente pela janela de meu coração", e conseguiu fazer o que queria com todas as garotas sentimentais que os escreveram. Ele compreendeu que, para conseguir que mulheres jovens caíssem a seus pés, só precisava dar algumas declarações pomposas sobre o significado da vida e acrescentar à revista uma nova coluna intitulada "Novas pessoas, novos poemas".

Quando selecionava suas presas, o editor sempre escolhia poetisas e evitava as romancistas como se fossem a peste. Sua experiência de vida lhe causara um medo biológico de mulheres romancistas. Ele fazia questão de que todos que enviassem um manuscrito acrescentassem uma foto e um currículo. Ao longo dos dois anos anteriores, ele desenvolveu uma habilidade especializada em adivinhar, só pela análise da caligrafia e da foto, qual mulher cairia em sua armadilha. A experiência lhe ensinou que mulheres pouco atraentes em geral eram as mais talentosas, e que suas palavras graciosamente redigidas às vezes transmitiam um agudo sentido de observação. As mulheres que escreviam sobre céus azuis, nuvens rosadas e campos verdejantes eram as primeiras a morder a isca, mas geralmente tinham outros homens em suas vidas e eram volúveis em suas afeições. Ele tendia a concentrar sua atenção nas moças melancólicas que gostavam de escrever sobre crepúsculos. Seus poemas invariavelmente incluíam referências a cabanas de madeira na neve, às últimas folhas do outono, lágrimas, "naquela noite, ele me beijou" e "um copo de café amargo". As mulheres dessa categoria tinham aparência mediana e, considerando que a maioria vinha de casas problemáticas ou sofrera decepções amorosas no passado, acalentavam fantasias sobre um futuro feliz. Ele sabia como explorar suas fraquezas e lhes dar o tipo de amor pelo qual ansiavam. Elas estavam acostumadas a serem usadas e decepcionadas e, portanto, quando chegava a hora de traí-las, elas desistiam sem um faniquito. Exceto pela jovem ilustradora da fábrica de tecidos, que acabou pendurada nele como uma sanguessuga.

As manhãs eram um momento importante para o editor, e ele se dedicava a essas tarefas com total atenção. Mas, por volta das 16 horas, sua mente mergulhava numa série de devaneios fragmentados e inconsequentes. (O escritor profissional considera os sonhos do editor semelhantes aos voos de imaginação que sua própria mente faz quando o papo do doador de sangue começa a cansá-lo, ou quando seu superior está presidindo uma reunião na Associação dos Escritores.) Quando sentia que estava caindo num devaneio, o editor fingia ler o manuscrito em sua mão, com os olhos vagando de uma linha à outra ou fixados numa determinada frase. Seus devaneios eram como um visitante que só fica por tempo suficiente para fumar um cigarro e depois se levanta e cai fora.

Em certa tarde, ele sonhou que estava atravessando um rio de fezes. (O escritor profissional sorri para si mesmo em sua sala escura.) Essa imagem foi, sem dúvida, uma reação inconsciente a seu vício em fantasias românticas. O editor gostava de entremear seus sonhos com algumas frases elogiosas das cartas de amor que recebia, banhando-se num córrego de adulações. "Você é o único homem no mundo", ele ouvia as mulheres sussurrando. "Um homem de força. A pessoa mais importante da minha vida. Não posso viver sem você." "Você é um gênio de talento ilimitado, o grande timoneiro do mundo literário." Ele ganhava força espiritual com essas palavras lisonjeiras e, pela primeira vez em muitos anos, gozava de um sentido de amor-próprio.

No passado, o editor sonhara em alcançar este amor-próprio através de suas obras literárias. Contudo, sua esposa, uma romancista profissional, conseguiu confiná-lo a seu papel de marido, e ele adentrou seu quadragésimo ano ocupando seu posto na cozinha, cercado de potes e panelas. A princípio, esse "dono de casa" medindo apenas 1,60 metro tentara abandonar seus devaneios durante os breves intervalos entre lavar a louça e varrer o chão, e conjurava uma ou outra frase elegante para rabiscar no papel, mas logo desistiu daquilo. Dez anos depois, ele teve que aceitar que só era capaz de pegar algumas linhas da carta de uma admiradora e mandá-las para outra. Ele sabia que era apenas o marido da romancista, e que qualquer talento literário que possuíra no passado tinha desaparecido para sempre.

O editor vinha de uma família de intelectuais; o pai era médico e a mãe, uma atriz da companhia de teatro local.

Quando jovem, ele mostrara algum talento. Três de seus primeiros poemas foram publicados pelo *Diário da Juventude Chinesa*. Ele escreveu um artigo sobre as conquistas de Zhao Xianjin, um herói local que, como Lei Feng, dava dinheiro aos pobres e ajudava velhinhas a atravessarem a rua. Foi publicado no *Diário de Guangming*, e isso o tornou tão famoso em sua cidade quanto o próprio Zhao Xianjin. Ele foi transferido de seu emprego subalterno numa fábrica de papel e encarregado da propaganda no Centro Cultural Popular. Sua boa sorte continuou a crescer. Após ver o filme japonês *Flor de pessegueiro*, sobre a reunião de um casal separado pela guerra, ele escreveu uma história chamada "Saudades do Lar", sobre a reunião de um homem taiwanês com seus parentes na China, e ambientou o conto em sua cidade costeira.

A história foi imediatamente selecionada pelo Comitê Central do Gabinete de Guerra para receber elogios, pois estava em grande consonância com as aspirações do Comitê para a reunificação nacional. Um filme foi encomendado, e o Comitê Central enviou uma equipe de assistentes de produção e assessores à cidade, assim como dez atores, dois deles vindos do exterior. Durante os poucos dias de filmagem, ele se tornou o homem mais requisitado da cidade, e, quando os líderes municipais o encontravam na rua, passavam a falar num tom deferente. Todo mundo comentava sobre seu roteiro e sobre os "visitantes d'além céu" que logo estariam enxameando a cidade. Quando ele caminhava pelas ruas, multidões se formavam em seu encalço e estranhos o paravam para dizer olá como se ele fosse um dignitário em visita. Ao entardecer, sua casa era cercada pelas mesmas hordas de espectadores curiosos que se plantam do lado de fora dos grandes hotéis onde ficam as estrelas de cinema.

A prova daqueles dias gloriosos ainda estava em sua casa: uma foto que o mostrava com o grupo de atores visitantes, incluindo os dois estrangeiros. Naquele tempo, era a única foto colorida da cidade. Infelizmente, a fotografia foi tirada no hospital — ele teve a infelicidade de contrair hepatite logo assim que o filme entrou em produção. Ele ficou muito lisonjeado quando os estrangeiros lhe prestaram uma visita. Depois de seu encontro com os dois, ele se tornou a autoridade da cidade para todas as coisas estrangeiras. Quando começava uma discussão entre pessoas que só tinham visto estrangeiros de frente ou de costas, ou que só tiveram um vislumbre de seus cabelos ou calças, alguém sempre terminava a disputa dizendo, "Se não acredita em mim, vá perguntar ao Velho Hep". (Foram eles que cunharam o apelido.) Quando o diretor do hospital foi suspenso por alegar que nem todos os estrangeiros de cabelo preto eram mestiços, a foto do Velho Hep o salvou, porque mostrava claramente que um dos atores estrangeiros tinha cabelo preto-azeviche. Embora as autoridades o rebaixassem para uma posição menos importante — chefe do centro cirúrgico —, ao menos permitiram que ele conservasse sua filiação ao Partido.

Naquele ano dourado, a romancista — sua futura esposa — enviou uma carta de amor ao Velho Hep no hospital. Ela o chamava de "Pavel da China", por causa de Pavel Gorrchagin, o herói de um filme soviético de propaganda política, e disse que ele era o sol em torno do qual ela girava, a praia em que ela ansiava ancorar seu barco. Era a primeira vez que o Velho Hep recebia um pedaço de papel rabiscado com a frase pequeno-burguesa "Eu te amo". Ele imediatamente passou a carta para o chefe do Departamento Municipal de Propaganda que o visitara no hospital. Após uma investigação minuciosa pelos órgãos do Partido, ele foi informado de que ela era filha do comissário político do regimento local do exército. Em menos de uma semana, os órgãos do Partido deram ao Velho Hep sua permissão para embarcar numa relação com ela. Eles também foram gentis o bastante para lhe devolver a carta, mas, claro, não sem antes passar uma linha preta sobre cada palavra insalubre e pequeno-burguesa que continha.

Assim, ela começou a visitá-lo. Se não estivesse sofrendo de febre na época, o Velho Hep poderia ter notado que a saia que ela usava era idêntica à que a atriz Zhao Xiaohong usara em sua última visita à cidade.

Ela se sentou diante dele, as pernas brancas desnudas e arrepiadas.

— Ao que parece, todas as enfermeiras e mulheres em visita andam usando essas saias — comentou ele.

Sua futura esposa replicou:

— Há séculos que essas saias estão por aí. Hoje em dia, todo mundo nas ruas está usando o casaco de Zhao Dashan.

— Quem é Zhao Dashan? — perguntou ele.

— Um ator. Você sabe, o grandalhão.

— Nunca consigo lembrar os nomes deles — admitiu o Velho Hep, culpado.

— Até meu irmão mais novo já ouviu falar dele! — Ela não conseguia perdoar a ignorância do Velho Hep.

Antes de partir do quarto de hospital, ela sempre deixava alguma coisa para trás, garantindo assim que permaneceria nos pensamentos dele; livros com dedicatórias afetuosas, talos descartados de pera, a fragrância perene de seu talco, um fio de cabelo. Ele sabia que ela era filha de um oficial de alto escalão do Partido e ficava perplexo com esse inesperado golpe de sorte. A grande disparidade das posições sociais inevitavelmente fez com que o Velho Hep repensasse seus próprios atributos: ele tinha 36 anos, era membro do Partido, ganhava um salário mensal de 47,50 yuans e certa vez recebeu de seus superiores o título de "funcionário avançado" na fábrica de papel. Esses detalhes provavelmente significavam pouco para ela. Em contrapartida, ele sabia que ela ficaria mais impressionada com seu sucesso profissional. Ele era o roteirista original do filme *Saudades do lar*; conseguiu chegar a quase 200 mil palavras de material publicado pelo *Diário da Juventude Chinesa* e pelo *Diário de Guangming*; devido a anos de estudos particulares, ele foi transferido de seu emprego subalterno na fábrica de papel para um cargo de diretor no Centro Cultural Popular; andou no carro do líder municipal, decorado com bandeiras vermelhas; e representou sua fábrica de papel numa visita a Pequim para conhecer o famoso operário-modelo, o "Homem de Ferro" Li Guocai. Todos na cidade sabiam dessas realizações. Embora a romancista tivesse crescido numa casa com cinco quartos e dois banheiros, seu salário não era maior que o dele, e, além disso, ela só visitara Pequim uma vez, e isso quando criança. Repassando tudo isso em sua mente, o Velho Hep se sentiu um pouco mais à vontade. Após a visita seguinte, enquanto inalava a fragrância da moça no ar, ele sentiu uma súbita onda de paixão e, deitado na cama do hospital, decidiu casar-se com ela.

Alguns meses depois, o Velho Hep a tomou como esposa, e em seguida foi nomeado editor-chefe da nova revista literária bimestral do Centro Cultural. Chegou ao pico de sua carreira. Mas essa sorte não duraria, e, em menos de duas semanas, sua esposa rapidamente o alcançou. Dois de seus romances foram publicados pelos jornais nacionais mais respeitados, e de repente ela foi proclamada um "talento regional e municipal". Ela visitou Pequim e Huangshan para participar de dois festivais literários distintos. No mês em que ela e o Velho Hep foram convidados a participar da recém-instituída União Literária, a mulher foi a escolhida pelas autoridades para ser a primeira "escritora profissional" da cidade. O governo lhe pagaria um salário mensal para que ela pudesse ficar em casa o dia inteiro escrevendo romances. Essa virada de eventos não agradou ao Velho Hep de nenhuma maneira. A esposa parou de se referir a ele como o "Pavel da China" e, como todo mundo, começou a chamá-lo de Velho Hep. Ela fez contato com outros escritores profissionais em todo o país e se tornou uma autoridade nos mais atuais desenvolvimentos culturais. Ela sabia o nome da namorada do escritor pequinês Tan Fucheng e sabia que o romancista Li Tiesheng tinha uma perna paralisada. Quando a Política de Portas Abertas foi instituída, ela acabou se tornando uma destemida pioneira da reforma. Foi a primeira mulher da cidade a usar sutiã com enchimento, pintar o cabelo e fazer permanente como uma estrangeira.

Ela leu o romance ousadamente realista *O professor primário*, de Liu Xinwu, e o jornal literário *Hoje*, que lhe era enviado de Pequim. A esposa também passou a compor versos melancólicos e românticos. No momento em que o Velho Hep finalmente conseguiu escrever a palavra "amor" num pedaço de papel, ela já estava usando expressões como "sexualmente excitado". Ela se correspondia com vários jovens poetas de Pequim e lhes enviava cartões afetuosos e, em troca, recebia cartas em que eles a tratavam por "minha ovelhinha", "meu tesouro longínquo" e "o anjo que paira em meus sonhos". Ela acompanhava o rápido ritmo das reformas passo a passo.

Certa noite, o Velho Hep lia sua edição dos *Escritos escolhidos da literatura ocidental moderna* e estava quase cochilando quando sua mulher chegou de uma festa. À luz fraca, ele ergueu os olhos e, para seu horror, viu duas mãos com longas unhas vermelhas. Ficou aterrorizado. Naquele momento, parecia-lhe que o medo era quase maior do que seu corpo frágil poderia tolerar. A mulher baixou os olhos para o marido tranquilamente, depois olhou para as mãos e disse:

— É esmalte de unha, seu tonto. Não me diga que nunca viu esmalte antes!

— Sangue nas mãos! — Os pelos de sua nuca estavam eriçados.

— Esmalte! — retrucou ela com raiva. — Todas as atrizes estrangeiras têm unhas vermelhas nas revistas chiques. Nunca viu?

A imagem das mãos manchadas de sangue vagarosamente se apagou da mente do Velho Hep. Ele não estava incomodado por nunca ter visto ou ouvido falar de alguém pintando as unhas; ele sabia que era incapaz de acompanhar o ritmo das mudanças. Tentando conciliar a esposa, o Velho Hep perguntou:

— E por que elas pintam as unhas de vermelho? — Sua voz soou frágil e triste.

— Para embelezar as mãos, seu idiota! — A romancista estava irritada. Não conseguia suportar um homem que se assustava com seu batom e seu esmalte de unha. Jurou que jamais conversaria com ele sobre cosméticos modernos novamente.

Pouco depois, a mulher comprou um par de sapatos com saltinhos e começou a andar de cabelo solto. Depois ela progrediu para o salto agulha, começou a fumar cigarros estrangeiros, debater Hemingway, beber cerveja, passar perfume no pescoço e celebrar seu aniversário com bolo e velas. Ela embarcou no expresso da Política de Portas Abertas, e logo já tinha lido todas as traduções dos livros de Milan Kundera e equipado a casa com água corrente aquecida, campainha na porta, linha telefônica e ornamentos e bibelôs colocados atrás da porta de vidro de sua nova estante de livros. Era uma mulher moderna completamente formada. Em contrapartida, foi somente depois de uma década inteira que o Velho Hep finalmente conseguiu ler *O apanhador no campo de centeio* e *Cem anos de solidão*, ver um vídeo pornográfico, arranjar uma amante e comprar um terno ocidental.

Como sua esposa estava muito mais à vontade com a atmosfera das reformas, ele sempre terminava se sentindo excluído. A romancista levava o marido a festas, mas ele sabia que era baixo, nada atraente e que lhe faltava senso de ritmo. Assim, quando a disco music começava, ele tremia de medo e recuava para um canto, observando tristemente como os homens e as mulheres saltitavam na sua frente. Em seguida, a esposa começou a se meter em sua revista. Ela aparecia no escritório para checar os originais e textos encomendados, e ele tinha que acatar suas decisões. Em casa, ela era a única que recebia visitas. Os amigos apareciam para envolvê-la em debates literários. Da cozinha, o Velho Hep escutava enquanto eles vertiam torrentes de termos desconhecidos tais como "peso linguístico", "estrutura esférica", "estilo fragmentário".

Em seu terceiro aniversário de casamento, o nome da esposa entrou para o *Grande dicionário de escritores chineses*, e o Velho Hep soube que, dali em diante, teria que aceitar o papel de palhaço. Naquela noite, a esposa recebeu um monte de jovens admiradores no apartamento para celebrar sua boa sorte. Um jovem de cabelos compridos arrastou o Velho Hep para fora da cozinha e exigiu ouvir sua opinião sobre um assunto qualquer. O Velho Hep ficou plantado no centro da sala, sem palavras. Ele ergueu os olhos para a floresta de convivas e viu o rosto da esposa vermelho de fúria. Em pânico, ele respondeu:

— Pergunte à minha esposa. Ela é muito mais inteligente que eu. — Os convidados riram. O Velho Hep ouviu a esposa sussurrando, "Que espécie de homem você é?"; ele jamais tinha ouvido sua voz tão baixa ao censurá-lo.

Ele se arrastou de volta para a cozinha, humilhado e deprimido. Os convidados explodiam em gargalhadas. Ele baixou a cabeça e dispôs algumas folhas de couve em círculo num prato de tofu picado, sabendo que, se tivesse partido para o banheiro em vez da cozinha, teria feito uma saída mais honrada e se exporia a menos humilhações da esposa quando os convidados fossem embora.

Em pouco tempo, ele desistiu de todas as esperanças de ter um futuro feliz e começou a se refugiar em seus devaneios. Sempre que sua esposa o criticava, ele escapava para o mundo da fantasia. Depois que ela entrou para o *Dicionário*, o Velho Hep ficou com a impressão de que a romancista tinha crescido cerca de meia cabeça.

Quando ela alcançou os 40 anos, seu rosto (cuja atração dependia da juventude) subitamente assumiu a forma de abóbora da cara de seu pai. Olhando diretamente para aquele rosto, dava para ver que, sob a maquiagem, a pele que cobria os músculos faciais usados com mais frequência estava agora frouxa e enrugada. Mas seu corpo ainda era firme — resultado da postura confiante que ela adotara após ser premiada com a filiação ao Partido à idade de 18 anos. Seus ossos pesados e ombros largos obviamente eram herança de seu pai militar.

Seu temperamento tornou-se pior com a idade. Sempre que o Velho Hep fazia algo para irritá-la, a mulher dobrava o braço dele atrás das costas, brandia a mão no ar como uma atriz de kung fu e o chutava nas canelas. A ignorância do marido em assuntos culturais se tornou o foco da raiva da romancista, que ficou horrorizada quando ele finalmente admitiu sua perplexidade com o novo gênero de "Poesia Nebulosa". À mesa de jantar, ele ouvia a esposa e seus jovens convidados debatendo "estruturalismo", "narrativa de aeronave em voo baixo" e "mentalidade de enfermaria", termos que ele não conseguia encontrar no dicionário. Antes de descobrir que era capaz de ter amantes, tudo que ele podia fazer era ouvir com respeito e observar a mulher enquanto ela tagarelava.

Quando a cerveja e a nicotina estrangeiras alcançavam sua corrente sanguínea, ela adquiria fala e expressões faciais muito mais animadas. Sentindo-se esmagado pelo tom vibrante da voz dela, o Velho Hep às vezes procurava consolo num devaneio. Ele podia dividir seu sonho em partes separadas como uma corda de salsichas, interrompendo entre uma cena e outra para buscar um prato de nabos da cozinha ou para servir mais chá aos convidados. Contanto que a mulher não berrasse para chamar sua atenção, sua fantasia podia continuar, episódio a episódio.

À medida que seu status em casa afundava, ele percebeu que só na cozinha podia se sentir livre e agir como queria. Podia atirar garrafas e vinho de arroz no chão sem ter que pedir permissão aos outros; podia enterrar seu facão na tábua de carne, quer houvesse carne, quer não. Podia até matar coisas na tábua; transformar criaturas vivas em criaturas mortas se tornou seu passatempo favorito. Quando ele baixava os olhos para uma galinha que acabara de decapitar debatendo-se debilmente em suas mãos, os problemas que o atormentavam no mundo exterior desapareciam de sua mente. No instante em que o animal vivo se tornava um cadáver, ele gritava uma torrente de obscenidades. Certo dia, ele segurou uma carpa viva contra a tábua, brandiu seu facão e gritou "Sua megera podre!" quando a cabeça caiu no chão de cimento.

Antes de saber que era capaz de arranjar amantes, sua única forma de escapar do controle da esposa era afundando num devaneio. Quando se deitava na cama junto dela, massageando-lhe o rosto segundo as instruções do *Guia do aprendiz de massagem cosmética*, o Velho Hep acalmava sua mente com um devaneio sobre latas de lixo roxas. Era um sonho ao qual ele se abandonava com bastante frequência e que parecia se alterar ligeiramente a cada vez que o retomava. Para encontrar as latas, ele tinha que viajar 100 metros em espaço-tempo, virar quatro esquinas, desviar de uma parede coberta de cinzas que caíam em flocos, serpentear por uma alameda salpicada de briquetes de carvão, passar por uma barraca de cerveja, uma loja de livros infantis, dois restaurantes particulares, uma loja que vendia roupas funerárias (um arrepio sempre corria por sua espinha quando ele via o mural mostrando cadáveres subindo ao céu num transe), até que finalmente alcançava as latas de lixo roxas nos fundos do estacionamento de bicicletas. Às vezes ele via seu pai saltando de uma das latas, tirando os óculos e lançando-lhe um olhar de soslaio. O Velho Hep sabia que seria idêntico a esse homem dentro de trinta anos, só que sem os óculos.

Vários anos depois, quando ele retomou esse sonho, a lixeira acabou embarcando num avião. Ele estava sentado num ônibus naquele momento, após uma tarde de paixão com sua jovem amante numa fábrica em ruínas junto ao mar. O ônibus sacudia de um lado para o outro. Com o corpo ainda fraco pela ejaculação e o coração ainda acelerado, ele puxou a lixeira roxa para fora do avião e a arrastou para o oceano. A lixeira então se tornou uma massa de papel ofício branco flutuando por sua cabeça.

— Como pássaros em pleno voo — murmurou ele enquanto voltava à realidade.

(— Eu gosto da companhia de gente infeliz — diz o doador de sangue.

O escritor lembra que, no passado, o homem sentado a seu lado foi famoso por sua habilidade em soltar gases. No campo de reeducação, certa vez ele peidou 36 vezes num só dia. O escritor também recorda como seu amigo comprou um punhado de piolhos de um aldeão por 5 yuans e depois os escondeu sob a colcha do comandante Li, para puni-lo por roncar tão alto durante o sono.

O escritor pensa consigo: *Ele é capaz de tudo. Mas nunca teve sucesso algum com as mulheres. Não sabe como tratá-las. Todos os nossos amigos do campo agora estão casados e têm filhos, mas ele ainda está solteiro. Certamente deve se sentir solitário!*

A mente do escritor retorna à romancista. Durante a Revolução Cultural, ela foi enviada para um campo a apenas 8 quilômetros do campo deles. Lá, ela se apaixonou por Huang Gang. Era um belo e jovem ativista, filho de um embaixador, segundo diziam. Huang Gang e ela foram o primeiro casal da região com coragem suficiente para dividir uma casa sem serem casados no papel. Quando ouviram que os líderes dos campos estavam prestes a enviar uma milícia para prendê-los sob a acusação de coabitação ilegal, a mulher foi diretamente ao quartel-general e ameaçou se matar se algum deles colocasse as mãos nela. Naquele momento, ela tinha um broche de membro do Partido comunista — com a foto do Presidente Mao — preso à lapela portanto ninguém no campo ousou levar o assunto adiante.

Na fantasia dela, Huang Gang era um Marx dos dias modernos e ela era sua Jenny, seu braço político e amante. Se Huang Gang não tivesse acabado num hospício alguns anos depois, talvez os dois estivessem casados e ela não terminaria com o infeliz editor. A única utilidade que o editor tinha para ela agora era funcionar como contraste para seu próprio sucesso. Contudo, o que a romancista realmente queria era um homem de aço, um herói ou Jesus, para que ela pudesse assumir o papel de tigresa protetora ou de criança mimada e ávida por atenção. Quando o Marx por quem ela se apaixonou foi derrubado de sua posição por uma facção rival, ela imediatamente perdeu o prestígio. Sem homem nenhum para mandar em sua vida, ela se tornou amarga e arrogante.

Em seguida, ela conheceu o editor e se apaixonou. Mas logo depois do casamento, para sua decepção, ela descobriu que ele era um personagem fraco e débil e passou a ansiar ainda mais por um homem que pudesse chicoteá-la e depois enxugar suas lágrimas. Sua ânsia por encontrar um novo homem a levava a deixar o apartamento e se lançar nos braços de admiradores. Em outros homens, ela buscava coisas que o editor não podia lhe dar. Certa noite, após alguns drinques a mais, ela visitou o escritor profissional com uma expressão de desespero nos olhos. O escritor entendeu que, criada por um estrito oficial comunista, ela estava mal preparada para lidar com os tormentos do amor. Ele sabia que, apesar do exterior vibrante, a romancista tinha o coração vazio.

— Não temos mais salvação. Não há nada que qualquer um de nós possa fazer para ajudar — murmura o escritor consigo no escuro.

— Eu gosto da companhia de gente infeliz — repete o doador de sangue.

— Ninguém neste mundo é feliz de verdade. — O escritor ainda está pensando na romancista e no editor.

Quando o inverno chegava, o Velho Hep começava a sonhar com maçãs. Ele se enterrava na fruta doce e suculenta como uma lagarta, fartando-se da carne madura, abrindo caminhos em todas as direções, espalhando sua excreta nas paredes com a ponta do rabo e deixando para trás túneis marrom-escuros. Tudo que ele queria era comer e depois se deitar em silêncio para digerir. Ninguém podia importuná-lo dentro da fruta, e, já que as maçãs existem para serem comidas, elas também não faziam objeções. Ele se movia em amplos círculos em torno do talo, aparecendo de vez em quando através da casca. Por alguma razão, o editor estava convencido de que a capital ficava no talo e tinha medo de se aproximar. Ele suspeitava de que o Presidente Mao e os antigos oficiais do Comitê Central viviam por lá. Contanto que permanecesse distante do talo, ele se sentia livre para comer e vagar à vontade. No mundo da suculenta maçã, ele finalmente encontrou alguma paz e contentamento.

— E não é isto o comunismo? — Deitado na cama, o Velho Hep às vezes ria sozinho junto da esposa, que desconhecia a fantasia em que ele divagava. Contudo, seus devaneios nem sempre eram agradáveis. No Dia Nacional de cada ano, ele sonhava que estava trepando numa paineira circundada por pães dourados. O Velho Hep sabia que, se não se controlasse, acabaria escalando o tronco para sempre. Certa noite, quando ele alcançou o galho mais alto, a esposa gritou: "Me solte, desgraçado!" O Velho Hep acordou e descobriu que estava agarrando o cabelo dela. Ele ajeitou o cabelo no lugar rapidamente e caiu no sono outra vez, embora estivesse apavorado demais para continuar sonhando.

Foi somente após 11 anos como editor que o Velho Hep descobriu o verdadeiro valor de sua posição. No fim do verão, ele já negligenciava seus deveres profissionais e concentrava sua atenção em encontrar mulheres. Antes de sua participação numa conferência literária promovida pelo Ministério da Cultura naquela primavera, ele jamais tinha contemplado a possibilidade de um dia arranjar uma amante. Contudo, ele conheceu na conferência uma poetisa de Shijiazhuang que, assim como sua esposa, fumava cigarros e pintava as unhas de vermelho, e até do Partido era. Entretanto, ela era mais baixa que a esposa e tinha ossatura mais delicada. Durante os discursos oficiais, ele olhava na direção dela para avaliar a expressão em seu rosto. Na primeira noite, quando ele atravessava o corredor do hotel em direção ao banheiro dos homens, a poetisa colocou a cabeça para fora de sua porta e o chamou. As lâmpadas do quarto estavam acesas, mas, quando o Velho Hep entrou, ela apagou a luz e o enlaçou em seus braços. Os doces beijos apaziguaram os nervos do editor e, em menos de um minuto, suas pernas pararam de tremer.

Dois anos depois, o Velho Hep percebeu que desde aquela noite vinha tentando encontrar em outras mulheres o cheiro fuliginoso e acre que se elevava dos cabelos e da calcinha de algodão da poetisa. Naquela noite em Pequim, ele descobriu que também era capaz de cometer atos pecaminosos, e disse a si mesmo: Se uma mulher está disposta a me dar seu corpo, quem sou eu para recusá-lo?

Na manhã seguinte, os delegados se reuniram no salão de conferências e continuaram sua análise de artigos sobre a retificação política de companhias culturais e artísticas. Sentando em sua poltrona, o Velho Hep sentiu que se tornava mais forte e alto, deliciando-se na alegria de penetrar a doce maçã do comunismo. Sua voz se tornou fluida e natural. Quando subiu para fazer seu discurso, o traseiro nu da poetisa lhe retornou à mente, e ele tornou a tirar a calcinha florida vagarosamente. Duas nádegas brancas e abundantes...

— Não há palavras para expressar a grandeza do pensamento do Presidente Mao sobre literatura e arte — resumiu ele no fim de seu discurso. — É simplesmente fantástico!

O Velho Hep voltou para casa como uma pessoa diferente. Agora era um homem de coragem, um homem que podia possuir outras mulheres.

Antes do fim do verão, ele convidou para um encontro uma moça da fábrica de tecidos local (que tinha feito algumas ilustrações para sua revista), e ela aceitou. Ele então a levou para os bosques atrás do parque do Lenço Vermelho.

Os dois se sentaram num banco e ela desenhou o crepúsculo dourado refletido na superfície do lago. A água estava calma e o ar repleto do zumbido de insetos. O editor, agora no fim da casa dos 40, colocou-se atrás da moça e sofregamente admirou sua orelha delicada e a mãozinha que toda hora prendia nela uma mecha de cabelos. Ele sabia que todas as jovens da cidade sonhavam em conseguir um emprego permanente em seu departamento editorial e que o viam como um homem bem-sucedido e influente. A tecelã da fábrica pareceu muito lisonjeada quando ele a convidou para sair. De fato, ele era tudo que a garota procurava num homem. Impulsionado pela autoconfiança, ele pousou a mão no ombro da moça e comentou sobre os galhos que ela estava desenhando. Um rubor surgiu no rosto dela. Notando que o lápis começou a tremer na mão da garota, ele se aproximou e a envolveu com o outro braço. Mas seu equilíbrio não foi bom e, quando ele se inclinou para perto, o pé escorregou e ele desabou constrangedoramente no chão, derrubando a garota também. Ele rastejou para perto e, sem uma palavra, deitou em cima dela. A tecelã manteve os olhos fechados o tempo todo, exceto no momento de maior dor, quando abriu os olhos rapidamente, observou o céu e viu as nuvens que passavam de tons de vermelho a púrpura.

Após o sucesso daquele encontro, o Velho Hep a convidou para visitar seu escritório após o trabalho em várias ocasiões, querendo se servir dela novamente. A moça aceitou em todas as vezes, e em pouco tempo se tornou sua amante oficial. A alegria de possuir uma mulher, de possuir uma virgem, deu ao Velho Hep uma nova perspectiva de vida.

— Antes de você, eu só tinha feito amor com minha mulher — contou a ela quando se deitou sobre seu corpo.

— E antes de conhecer você, eu era virgem — respondeu ela, erguendo os olhos com um sorriso.

— Você virou minha vida do avesso — continuou o editor, afagando-lhe a testa lisa. — Já não penso em mim como um homem de meia-idade, de jeito nenhum. Afinal, eu só tenho 31 anos a mais que você.

A tecelã levantou a autoconfiança do editor e, quando essa confiança se infiltrou em sua vida profissional, as mulheres começaram a cair em sua mesa como os originais que ele recebia todos os dias. Enquanto ele concordasse em publicar seus textos, as mulheres estavam dispostas a se prostrar sob seu corpo enrugado. Tudo que ele tinha que fazer era escolher sua presa e soltar algumas insinuações sutis. Agora quase não lhe restava tempo para devanear, pois ele vivia muito ocupado com a crescente lista de mulheres com quem mantinha casos ilícitos. Essa alegria secreta dava à sua expressão um ar de maturidade. Ninguém sabia que, quando ele estava presidindo reuniões de educação política no trabalho ou lavando louça em casa, em sua mente ele se deitava sobre uma mulher, abria as pernas dela no ar e a subjugava à sua vontade.

Ele começou a notar que as mulheres se comportavam de formas diferentes durante seus momentos de maior prazer. A tecelã desaparecia, em comparação com as mulheres que a sucederam. No pico de sua excitação, tudo que ela fazia era soltar um ronco baixo. Ela nunca suspirava ou gemia, nem mexia as pernas como as amantes mais maduras. A mulher mais presente nos pensamentos do Velho Hep era uma escritora de contos de Sichuan. Ele jamais pôde esquecer a visão daquelas longas pernas de bailarina enroscadas em seu corpo velho. Infelizmente, ela o largou como um tijolo assim que ele publicou seu texto. Contudo, ela acabou sendo a mulher mais memorável das 21 com quem ele dormiu. Em seu adorado caderno rosa, que rotulou como "Compêndio das Beldades", o Velho Hep fez uma anotação cuidadosa do aniversário dela, do tamanho de seu sapato e de seu endereço.

Em casa, ele se tornou mais relaxado e começou a prestar mais atenção à esposa, que recentemente lançara seu sexto livro. (Quando o escritor profissional relembra a história de "Marx e Jenny" do romance que a tornou famosa, fica tomado de náusea. Aquelas autobiografias pobremente veladas traziam o cheiro das fétidas regurgitações do passado da mulher.) Os bolsos do terno do Velho Hep estavam cheios de cartões de visitas gravados com seus títulos profissionais de "editor-chefe" e "Diretor da Associação dos Escritores". Sempre que ele conhecia alguém, cerimoniosamente apresentava um cartão com uma expressão séria — mas acessível — no rosto. Sua compleição pequena e atarracada dava aos outros a impressão de que ele era um homem trabalhador e confiável. Após todos esses anos de espera, o editor finalmente embarcava no expresso da Política de Portas Abertas.

Depois que publicou o primeiro romance de uma jovem escritora local que descobriu (um livro que os críticos mais tarde declararam ser a ficção mais vanguardista da China), ele ganhou o respeito e a admiração dos jovens *literati* da cidade. Eles elogiaram seu olho afiado para o talento e pediram ansiosamente para conhecê-lo. Em preparação para o encontro, o Velho Hep passou muitas horas tentando aprender a fraseologia e o tom de voz que sua mulher empregava durante suas discussões literárias. Logo ele também conseguia temperar seu discurso com termos como "o inconsciente coletivo", "mentalidade crepuscular", "o absurdo" e "pseudorrealismo".

Durante algum tempo, a romancista se sentiu excluída e afundou numa leve depressão. Parecia ter perdido a dianteira. Quando o casal recebia visitas de escritoras que eram exatamente como ela havia sido vinte anos antes, a mulher parecia amarelada e apagada em comparação. Embora as mulheres da nova geração pintassem as unhas da mesma cor que a romancista usava, elas preferiam não usar batom vermelho, mas lilás ou rosa fluorescente. O fato de que ela ousara usar jeans justos uma década antes — e até se preparara para escrever uma autocrítica compulsória — significava muito pouco para essas jovens que agora preferiam usar jeans largos e moletons importados. As mulheres mais progressistas já haviam visitado Shenzhen e retornado com permanentes de cachos finos. Quando a esposa do Velho Hep começava a discursar sobre *O velho e o mar*, de Hemingway, as jovens se afastavam para o canto da sala para debater Heidegger e Robbe-Grillet. O tópico favorito de conversação para ela — suas lembranças da Revolução Cultural e a vida no campo de reeducação — não significava nada para as outras. As jovens a tratavam com a indiferença distante com que tratariam qualquer outro que pertencesse à geração de seus pais.

(— Estamos acabados — disse ela em certa noite, quando visitou o escritor profissional, meio bêbada. — Esta geração não sabe nada sobre sofrimento ou isolamento. Seus corações estão embotados.

— E de que pode servir o isolamento? — perguntou o escritor.

— Eles simplesmente não levam a vida a sério.

— Na idade delas, você também não levava.

— Escrever exige sacrifício completo. É preciso colocar a alma no trabalho, pagar cada palavra com suor e sangue.

— Mas, se você se desliga do mundo de hoje, como quer escrever sobre ele? — perguntou o escritor.

— Escritores são produto de seu tempo. Um mundo superficial produz escritores superficiais. Não posso deixar de sentir saudades daqueles anos que passamos nos campos de reeducação.

— O mundo avançou — replicou ele. — Você ficou para trás. Aquelas jovens compreendem a sociedade atual melhor que você. Talvez uma forma mais pura de literatura acabe emergindo de suas mentes embotadas. Elas não têm preconceitos, nenhum interesse em política. Seus problemas são puramente pessoais. Mas você... seu tempo já acabou...)

Gradualmente, a paixão do Velho Hep pela tecelã secou como um choupo no outono, perdendo uma folha atrás da outra a cada lufada de vento. Esses ventos eram causados, claro, pelo número crescente de amantes do editor. A tecelã tolerava sua negligência e não perdia as esperanças. Ela acreditava que seu amor finalmente o conquistaria, e assim se plantava a seu lado e se recusava a desistir. Mas ele só concordava em encontrá-la quando não havia outra presa disponível. O editor estava determinado a viver a vida ao máximo e fazer uso de todas as oportunidades que seu emprego lhe dava. Ele ganhara confiança com a adoração da tecelã da fábrica, e coragem com os avanços da contista de Sichuan (ainda que tremesse de medo quando esta última dizia coisas como "abra meu sutiã" ou "adoro sua carequinha"). Ele sabia que, para progredir, tinha que continuar a viver essas experiências amorosas.

A tecelã foi criada numa casa estrita. Sua mãe era uma funcionária do governo que aderia religiosamente às regras do Partido; o pai morreu no hospital durante a Revolução Cultural. Ela era filha única e, para apoiar a mãe, começou a trabalhar assim que se formou na secundária. Se entrasse na universidade, ela acabaria tendo que deixar a cidade, e a mãe jamais concordaria com isso. Assim, ela aprendeu a se contentar com o que esta cidade podia lhe oferecer. A tecelã sabia que poderia ser promovida a um emprego de administração se tivesse bom comportamento na fábrica de tecidos, e de lá talvez fosse transferida para um emprego no Centro Cultural Popular. Ela ansiava por deixar os barulhentos teares para trás e encontrar um tranquilo emprego administrativo. O editor se tornou seu modelo. Ele lhe contou que estudara escrita criativa no tempo livre quando trabalhava numa fábrica, e foi promovido ao emprego de editor-chefe devido a seu primeiro roteiro cinematográfico. Quando a garota olhava para ele, aquele corpinho atarracado parecia napoleônico, a cara inchada e enrugada lhe lembrava Beethoven. Após crescer sem o amor de um pai, ela via o editor como uma figura paterna. A tecelã só tinha um objetivo na vida, e era permanecer junto a ele para sempre.

Infelizmente, assim que ela se apossou dele, seu ânimo esfuziante causou um aumento dramático em seu apetite. A gordura que ela adquiriu se depositou primeiro em sua cintura e panturrilhas, depois se espalhou pelo rosto, estufando as pálpebras e inflando suas bochechas. Após dois anos juntos, o editor já não conseguia se obrigar a olhar para ela. A garota perdeu todo o encanto juvenil e agora tinha o corpo de uma mulher de meia-idade. As outras amantes que ele arranjara depois a colocavam em segundo plano. O editor tinha vergonha dela e ansiava por se ver livre de suas amarras. Em certa tarde de quarta, ele concordou em encontrá-la atrás do parque do Lenço Vermelho, querendo usar a oportunidade para romper com ela de uma vez por todas.

(*As relações entre as pessoas são muito curiosas*, reflete o escritor. *Nós dedicamos gentileza e até bajulação àqueles que tememos, mas pisamos como tiranos sobre os tímidos e reservados. Nossos papéis são determinados por nossos oponentes. Todos possuímos uma natureza dual. O editor era um servo para sua esposa e um mestre para a tecelã — papéis que não podia desempenhar com nenhuma de suas outras mulheres. Todos pulamos de um papel ao outro. Se eu continuar a escrever esta história, quem sabe, talvez a tecelã da fábrica se torne até mais selvagem que a romancista.*)

No momento em que ela finalmente apareceu no bosque atrás do parque do Lenço Vermelho, o Velho Hep estava fervendo de raiva. Nunca tinha sentido aquilo antes. No caminho até o encontro, ele previu que estava prestes a sofrer uma alteração física. A garota correu em sua direção e seu corpo rechonchudo sacolejava como se jogado de lá para cá num velho carro caindo aos pedaços. Ela pediu desculpas pelo atraso, mas ele continuou a encará-la. Ela corou de remorso. Neste ponto, a garota deveria ter se atirado contra o peito dele como costumava fazer no passado e saciado o fogo de seu corpo com o peso de sua carne feminina. Mas a expressão fria e implacável no rosto dele abateu sua confiança, e ela não ousou chegar mais perto.

Em contrapartida, o Velho Hep ficou satisfeito com essa virada nos acontecimentos. O atraso da garota lhe deu a chance de manter sua fúria em ebulição e, quando a viu apavorada na sua frente com uma expressão patética no rosto, ele sentiu que estava pronto para explodir. (*Se querem ganhar um homem, as mulheres pouco atraentes jamais deveriam ficar prostradas diante dele. Primeiro elas devem arquear as sobrancelhas graciosamente, diverti-lo com uma história engraçada ou sufocá-lo com beijos — qualquer coisa para desviar a atenção de seus olhos suínos ou do queixo pontudo. Realmente é muito cansativo, mas necessário. Todos devem aprender a fazer o melhor que podem com aquilo que tem.*) A raiva provavelmente vinha cozinhando dentro do editor por muitos anos, pois ele conseguiu erguer a mão no ar e lançá-la com força contra o rosto da tecelã sem um segundo de hesitação.

— Vaca imbecil! — berrou ele depois do primeiro golpe. — Por que chegou tão tarde?

O editor tinha aprendido esses gestos e tom de voz com a esposa. Durante sua vida conjugal sem filhos, a romancista gritou com o marido dessa forma numa ocasião em que ele lavou e pendurou um casaco dela na varanda para secar, que acabou levado pelo vento. Ela o acusou de tê-lo feito de propósito e, quando ele retrucou que o casaco estava tão úmido que não havia opção além de pendurá-lo do lado de fora, ela o esbofeteou no rosto. Naquele momento, o Velho Hep sentiu algum órgão se deslocando ligeiramente em seu corpo. Ele correu para a cozinha, encheu uma concha com água fria e a esvaziou na boca, bebendo até ficar tonto. Agora, ele relembrava aquela bofetada. Embora a princípio tivesse dificuldade de falar e sua voz soasse como uma pá raspando contra um balde de ferro, ele logo relaxou. Sua mão golpeara o lado direito do rosto da garota. Ele teve sucesso. Com crescente autoconfiança, ele a socou no peito e ela caiu no chão no mesmo lugar em que perdera sua virgindade. A atitude que a garota tomou em seguida selou seu destino. Em vez de revidar, ela se pôs de joelhos e implorou por perdão.

Na cabeça do velho Hep, a pose suplicante da mulher confirmava a legitimidade de seu próprio comportamento. Ele abandonou qualquer sentido de controle. Finalmente, estava se vingando por todos aqueles anos perdidos.

Enquanto o crepúsculo abria caminho para a noite, o Velho Hep sentiu um incontrolável desejo de possuí-la. Ele se atirou sobre a moça e se serviu de seu corpo fraco e débil.

Ela trincou os dentes e soltou um ronco quando ele mordeu seus mamilos e puxou seu cabelo. Embora fosse mais alta, a cada vez que ela tentava se levantar ele conseguia chutá-la novamente para o chão.

— Agora você vai me deixar em paz?! — berrou ele.

— Faço qualquer coisa para torná-lo feliz — respondeu a garota, olhando para ele com adoração antes de desabar novamente na grama.

— Será que não estou sendo claro? — devolveu ele, puxando as calças para cima. — Não quero ver você nunca mais! — Depois, cuspiu no chão e se afastou.

(De repente, as luzes retornam ao apartamento do oitavo andar. *O que é o amor exatamente?*, o escritor pensa consigo. Ele vê uma boneca de pano jogada no canto da sala e se pergunta o que ela está fazendo ali. Ele tem frequentes vislumbres da boneca, embora em geral suspeite que seus olhos estejam lhe pregando uma peça, pois ele só a vê à noite, ou quando está bêbado ou perdido em pensamentos. Talvez realmente haja uma boneca de pano sob a cadeira. Talvez tenha sido presente de alguma mulher para ele, ou tenha sido deixada por uma amiga. Ou talvez o ocupante anterior do apartamento a tenha jogado no canto, num acesso de raiva. Ninguém jamais se deu ao trabalho de se abaixar para pegá-la. Quanto mais suja se torna a boneca, menos disposto o escritor fica a tocá-la.)

As gavetas do editor estão cheias de cartas de amor. Por ter sido construída junto a um porto de águas profundas, esta cidade foi um dos primeiros lugares beneficiados com as regras comercias mais relaxadas da Política de Portas Abertas. À medida que sua economia florescia, a cidade crescia e um novo distrito urbano foi construído nas terras aráveis que margeavam a costa. Hordas de camponeses do interior se derramaram nesse distrito para vender seus produtos e procurar novos empregos. Logo, todos na China já tinham ouvido falar desta cidade, e o nome da revista literária do Velho Hep ganhava prestígio. Ele estava contente com seu trabalho. Era estimado pelos colegas do departamento editorial. Nas sessões de estudos políticos, os camaradas do Partido admiravam suas opiniões de vanguarda e sua coragem ao dar voz a pequenos descontentamentos. Os novos recrutas o tinham como modelo; quando conversava com eles, o Velho Hep sempre soltava expressões como "sexy", "contemporâneo" e "de bom gosto" na conversa, para deixá-los à vontade. Ele sabia que poderia continuar em seu posto tranquilamente até a aposentadoria se a funcionária da fábrica de tecidos não decidisse causar mais problemas. Assim, ele espremia os miolos pensando em formas de se livrar dela. Desde que a garota perdeu todo o amor-próprio, ele sabia que podia torturá-la como bem quisesse. Com o passar das semanas, ele descobriu que gostava de atormentá-la e, já que a tecelã era uma vítima voluntária, eles acabaram se vendo mais que nunca.

O editor sabia que se apaixonara por ela primeiro. No primeiro dia da moça no escritório, ele falou sobre o quanto estava dando duro num romance e sobre as competições de xadrez que vencera na escola. Ele se apresentou como um homem que sofrera muito na vida e que tinha desesperada necessidade de consolo. Quando a tecelã o encarou, não havia amor algum em seus olhos. Mas ela precisava de uma figura paterna, e ficou lisonjeada por toda a atenção que o editor lhe dedicou — homem algum jamais tinha confessado coisas tão íntimas para ela. Assim, quando ele a abraçou no bosque atrás do parque, ela não o repeliu. Tudo ficou bem por algum tempo, pois eles satisfaziam as necessidades um do outro. A tecelã não errou ao se apaixonar pelo Velho Hep; seu erro foi continuar apegada depois que ele já tinha passado para a presa seguinte. O amor por ele foi sua destruição.

A cada vez que o Velho Hep tentava romper o relacionamento, a tecelã dizia que só concordaria sob a condição de que ele lhe desse um bebê antes que se separassem. Essa exigência sufocou o espírito do editor e ele logo retomou seu hábito de escapar em devaneios.

Embora ainda partisse para o trabalho a cada manhã com bochechas rosadas e um sorriso obsequioso, o editor agora voltava para casa com uma cara sombria. Depois que entrava no apartamento, ele tirava os sapatos, afundava no sofá e começava a fantasiar que estava arrastando mobília pela sala. Às vezes uma pesada poltrona de jujubeira o exauria tanto que o suor chegava a pingar de sua cabeça. Um dia, enquanto o cheiro de ossos de frango cozido emanava da cozinha, ele devaneava que estava removendo um enorme armário embutido da parede. Quando acordou alguns minutos depois, mexendo a canja de galinha, ele sentiu uma súbita vontade de derrubar o armário na cabeça do enfadonho escritorzinho de província que se exibia para sua esposa na sala de estar, e depois agarrar seu romance medíocre e destroçá-lo em pedaços. Em vez disso, ele diluiu a cerveja com água e salpicou areia no arroz antes de levar a refeição para o outro cômodo. Depois ele viu a esposa e o conviva se retraindo quando seus dentes rasparam contra a areia, e suas pernas tremiam de excitação. O editor jurou que diluiria a cerveja com mijo se aquele escritor miserável ficasse mais um dia em seu apartamento.

Entretanto, ele ainda era um servo em casa, sempre tendo que verificar a expressão na cara da esposa antes de dar qualquer passo. Ela lhe dava ordens com a ferocidade de uma tigresa, e ele fazia o que era mandado. Após cumprir seus deveres conjugais, ele espremia o esperma para fora da camisinha e espalhava tudo na cara e nas coxas da mulher, como ela exigia. (A romancista tinha lido numa revista que o creme facial mais caro da França era feito com esperma, e sempre insistia que o Velho Hep passasse todo o conteúdo das camisinhas em sua pele.) Quando estava com a tecelã, ele podia ejacular na boca dela e depois exigir que ela engolisse cada gota.

— Na minha cara! — rugiu a tigresa enquanto o editor subia de volta na cama e se aproximava dela. O Velho Hep notou que havia pouquíssimo esperma na camisinha e concluiu que isso se devia a seu encontro secreto no dia anterior. Enquanto passava as gotas restantes cuidadosamente no rosto da mulher, ele praguejava internamente: "Sua velha morcega horrorosa. Seu rosto está tão enrugado quanto os campos de Dazhai."

Ele continuou esfregando até que o esperma secou sobre a pele dela como pó de arroz. "Eu podia fazer o que queria com ela", o editor pensava consigo. "Ela me deixava agarrar suas tetas e sugá-las até secar. Os peitos dela eram muito mais brancos e suaves que os seus." Quando saiu da cama para lavar as mãos, ele sentiu seus testículos vazios começando a esquentar novamente.

Uma vez que começou a arranjar amantes, o Velho Hep não foi mais atormentado por um sonho recorrente sobre caminhões que despejavam terra no mar. Mas, quando a tecelã disse que só aceitaria uma ruptura sob a condição de que ele lhe desse um filho, ele tornou a entrar na cabine do imenso caminhão e a ver os montes de terra caindo nas ondas do mar pelo retrovisor. Durante sua pausa da tarde no escritório editorial, ele conduzia o caminhão de um lado para o outro, num transe. Seus colegas notavam que ele encarava a parede, sorrindo e depois fechando a cara para o calendário do ano retrasado. Eles sabiam que o editor estava afundando num devaneio e tiravam vantagem desses momentos para sair e comprar um lanche ou dar um telefonema.

Quando o Velho Hep se encontrava nesse estado de sonho, seus colegas deduziam o que ele seria capaz de fazer pelas diferentes expressões de seu rosto. Se estivesse franzindo a testa, ele ainda podia ouvir o telefone e examinar os manuscritos; podia até ficar em pé, trocar um aperto de mãos com um visitante e zanzar pela sala. Mas, quando acordava, esquecia tudo que tinha acontecido. Quando seus lábios estavam contraídos num sorriso fraco, o máximo que ele podia fazer era se levantar de seu assento, avançar até a garrafa térmica e derramar um pouco de água quente na xícara. Só ele sabia que, nesse ponto, o caminhão que dirigia avançava com particular velocidade e agilidade. Contudo, quando o caminhão começava a correr sobre a superfície do oceano e estava prestes a alçar voo para o céu azul, sua expressão ficava morbidamente séria, e seus olhos se fixavam num ponto distante. O subeditor Chen, que conhecia algumas coisas sobre a arte do Qigong, alegava que essa era a expressão de um homem fitando a eternidade após emergir de profunda meditação.

— Ele entrou no reino do vazio — explicava o "Velho Qigong" ao diretor de arte, que tentava deixar crescer um cavanhaque. — Sua alma deixou o corpo. Ele está num transe tão intenso quanto aquele que você teve na noite em que ficou bêbado e baixou as calças.

Embora os devaneios do editor fossem muito intensos, nunca duravam mais que vinte minutos.

Quando ficou óbvio pela primeira vez que o Velho Hep estava devaneando em casa, a romancista fez pouco dele.

— Perdeu seus ouvidos, imbecil? — Ela riu quando ele deixou de responder a uma pergunta sua. Naquele momento, ele estava observando a porcelana na pia e a água jorrava da bica; em sua mente, ele galgava uma árvore para colher de seus galhos o algodão-doce que adorava comer quando criança. Como ele não respondeu no segundo chamado, a esposa invadiu a cozinha, agarrou uma cenoura e, com a força de um general do exército, apunhalou suas costas. Ele saltou imediatamente dos galhos, chocou-se contra o tronco e depois desabou como um saco no chão da cozinha. Ele despertou e se descobriu jogado sobre uma pilha de batatas, olhando para a esposa com uma concha na mão.

Dali em diante, o Velho Hep tomava o cuidado de sonhar apenas com um lado do cérebro e usar o outro lado para realizar os deveres do mundo real. Embora não conseguisse evitar alguma interposição entre um mundo e outro, ele geralmente mantinha as coisas sob controle.

Contudo, um dia a tecelã finalmente achou o caminho até o apartamento dele. Ela tentara segui-lo até a casa por dias, mas ele sempre tomava uma rota diferente e ela o perdia de vista. O Velho Hep não estava em casa quando ela bateu. A garota pensou em ir embora imediatamente, mas a romancista pressentiu que havia algo errado e que a jovem estava envolvida de algum modo com seu marido. Quando ela perguntou como eles se conheciam, a moça irrompeu em lágrimas e se recusou a dizer uma palavra. A romancista a enxotou imediatamente e decidiu esperar pelo retorno do Velho Hep antes de começar sua investigação.

— Você dormiu ou não com aquela garota? — perguntou ela ao marido quando ele atravessou a porta.

O editor a encarou com terror. Ele sabia como ela podia ser cruel, e sabia que aquilo que existia em sua retaguarda era ainda mais feroz. Seu pai comissário podia espancá-lo até a morte. Ele a viu plantar-se na sua frente, as pernas separadas, tão firme quanto uma ponte suspensa, e confessou tudo.

A tecelã foi imediatamente interrogada por seus superiores. Eles criticaram seu "liberalismo pequeno-burguês" e disseram que ela não receberia promoção por dois anos. Seu supervisor tirou vantagem da situação e ordenou que ela alisasse seu permanente e parasse de usar calças justas. No dia seguinte, ela apareceu na fábrica com tranças e calças frouxas. Mas seu espírito ainda estava forte e, assim que saiu do trabalho depois do almoço, ela soltou o cabelo novamente, passou batom e seguiu para o escritório do Velho Hep.

— Já não me importa mais nada! — gemia a tecelã, perseguindo o editor em torno da mesa.

— Se minha esposa puser os olhos em você outra vez, minha vida está acabada. — Naquela manhã, os superiores haviam passado no escritório para admoestar o editor a tomar mais cuidado com seu estilo de vida. — Você tem que ir embora agora. Preciso ir a uma reunião — mentiu ele.

— Mas eu tenho algo a lhe dizer.

Ela o seguiu para fora do prédio. Os dois caminharam entre a multidão, um na frente do outro, com se fossem estranhos.

— O que você contou aos superiores da sua fábrica? — perguntou ele.

— Admiti que estamos dormindo juntos há anos — respondeu a tecelã para a nuca dele, tentando desesperadamente acompanhar seu passo.

O Velho Hep sentia que sua cabeça estava prestes a explodir. Seus passos se tornaram pesados.

A garota o seguia de perto, recusando-se a ficar para trás.

— Não tenho medo deles.

— Vá embora, pode ser? Simplesmente desapareça! — rosnou o editor entre dentes.

Ela ficou imóvel por um momento, mas ele continuou caminhando.

Quando ouviu a tecelã chegando perto novamente, o editor disse:

— Se tornar a vê-la, eu mato você! — Quando estava prestes a cair fora, ele ouviu algo que fez seu coração parar por um segundo. A moça murmurou claramente: "Estou grávida".

Essas palavras o encheram de uma mistura de dor e raiva.

— Ande na minha frente — disse ele, sem olhar para trás. — Vou encontrá-la no nosso lugar atrás da usina química. — Então, reduziu o passo e observou o corpo desengonçado que o alcançava e depois se arrastava entre a multidão em direção ao mar. Seu coração deu um salto. No departamento editorial naquele dia, ele sentira que algo não estava bem. Recentemente, tinha se enrabichado por uma jovem universitária de província que comparecia às suas aulas de estudos literários no Departamento Cultural do Município. Ela tinha um traseiro enorme e uma grande cara redonda que sorria o tempo todo como uma boneca de cera. Quando ele ligou para o Departamento Cultural naquela manhã para chamá-la para um encontro, o funcionário que atendeu o telefone disse que ela não estava. Quando o Velho Hep lhe pediu que passasse a ela o recado de trazer o original de seu romance, o funcionário bateu o telefone. Naquele momento, ele apenas xingou o funcionário por ser tão grosseiro, mas agora ele percebia que alguém andara espalhando boatos.

Quando sua esposa informou os chefes da tecelã sobre a situação, eles prometeram que tratariam do caso em sigilo, mas a notícia obviamente vazou. Canalhas. Agora todo mundo sabia. Enquanto ele caminhava a certa distância da silhueta matrona da mulher, suas pernas pareciam cada vez mais fracas.

— Então você quer um bebê agora, não é? Sua vaca! — vociferava ele entre dentes, observando a tecelã que avançava entre a multidão. Seu estômago parecia pesado e inchado. Ele a seguiu por uma alameda e a viu desaparecer por um buraco na parede. Ele continuou alguns passos, deliberadamente ultrapassando a cavidade, e depois voltou e saltou para dentro.

Parado no interior da carcaça da fábrica abandonada, o editor ouvia as ondas do mar batendo contra o aterro de cimento abaixo. Às vezes, quando vinha aqui, ele sentia o cheiro do córrego rançoso que emanava da usina química contígua, especialmente no crepúsculo, quando o fedor evaporava da terra úmida ou era carregado pela brisa do entardecer. No sufocante calor do verão, a tecelã sempre trazia uma lata de bálsamo e o passava suavemente nas pernas encarquilhadas do Velho Hep para afastar insetos. Ele agora podia ouvi-la caminhando em sua direção, pisando as lajotas soltas espalhadas pelo chão. Ele gostava deste local secreto. Embora estivesse infestado de mosquitos, o lugar em geral ficava vazio. De tempos em tempos, caminhões dos subúrbios passavam na estrada do lado de fora, e às vezes alguém pulava pelo buraco na parede para mijar no pátio, mas ninguém se aventurava no interior do prédio em ruínas. O editor e a tecelã sempre se encontravam numa sala central, que provavelmente servira de centro de controle da fábrica. As três paredes que ainda estavam de pé eram um pouco mais altas que suas cabeças e o chão estava coberto por uma lisa camada de cimento. Quando o maquinário a diesel da usina química vizinha era desligado ao fim do expediente, eles se recostavam, inalavam a brisa salgada e se imaginavam numa bela mansão à beira-mar. O Velho Hep viu que a tecelã abriu o forro plástico que eles deixavam num canto sob um tijolo e se sentou nele. Na parede caindo aos pedaços às suas costas, uma frase maoísta desbotada dizia: ADIANTE MARCHAREMOS, IMPULSIONADOS POR NOSSO IDEAL REVOLUCIONÁRIO COMUM.

— Venha, sente-se aqui — chamou a tecelã delicadamente.

— Sente-se aqui, você diz! — O Velho Hep sabia que a usina química ainda não havia fechado naquele dia, então tomou o cuidado de manter a voz baixa. — Como conseguiu ficar grávida? Há três meses que não encosto em você.

— Bem, mas eu estou — respondeu ela, destemida. — Aconteceu há muito tempo.

Ambos apresentaram suas exigências. O Velho Hep prometeu encontrar para ela uma clínica clandestina que fizesse abortos rápidos em mulheres solteiras. A tecelã disse que só concordaria com um aborto sob a condição de que ele continuasse a vê-la depois.

Quando o crepúsculo chegou, eles ainda estavam envolvidos numa discussão. Os olhos do editor chispavam de ira. Ele se inclinou para perto e rosnou:

— Se você não parar de me perseguir, não serei responsável por meus atos...

Calmamente, a tecelã ergueu os olhos para ele do forro plástico. Seu corpo tinha cicatrizes das feridas que ele lhe infligira no passado. Alguns meses antes, ele a chutara no abdome com tanta força que ela perdeu o controle dos intestinos. A garota ainda tomava remédios por isso. Seu estômago também foi afetado e ela sentia terríveis cólicas sempre que comia alguma coisa fria.

— Por favor, sente-se — disse ela. — Quero conversar com você. — Seus olhos pareciam inflamados. Era seu aniversário de 19 anos. Ela calculara que fazia dois anos e sete meses que estavam juntos. Sua história de amor chegava ao 940º dia. — Eu gostaria que você me levasse a um restaurante esta noite. — Ela afagou o sapato do Velho Hep e, não sentindo qualquer resistência, avançou com a mão para a panturrilha. Ela sabia como ganhá-lo. Quando ele estava de mau humor, ela só precisava tocar sua braguilha e ele se acalmava e pedia desculpas. A tecelã era mais alta que ele, e por isso sempre se certificava de estar sentada antes de tocá-lo, para lhe dar um senso de superioridade. Ela então rastejou até os pés dele e se pôs de joelhos lentamente. Ela ergueu os olhos para o editor, ofereceu seus lábios aos dele, mas ele empurrou sua cabeça para a braguilha aberta e depois agarrou seu cabelo e forçou sua cabeça para a frente e para trás sobre seu sexo. A tecelã sentiu o estômago se contraindo e a garganta tão cheia da carne intumescida que mal podia respirar. Finalmente, o punho dele relaxou. Ela desabou no chão, encolheu-se no forro plástico e engasgou com o líquido em sua boca.

— Não tussa tão alto! — berrou o editor, puxando as calças para cima.

A noite havia chegado. O forro de plástico branco refletia o pálido luar e o fragmentava suavemente sobre o corpo da moça. Ela fazia esforço para não vomitar. Suas pálpebras inflamadas se tornaram ainda mais inchadas.

— Sua vaca! — xingou o editor do fundo da garganta. Ele parecia estar à beira de um desmaio. — Está satisfeita agora? — Desde que esbofeteara a garota, ele parou de sussurrar palavras doces em seu ouvido ou comprar coleções de poesia para ela. Em vez disso, passou a mordê-la e beliscá-la e, quando via sua boca se torcendo de dor, sentia prazer e vertigem. Ela tolerava essas torturas como se estivesse passando por um teste de amor. Às vezes, quando ela tinha sorte, o Velho Hep lhe dava um abraço rápido para alegrá-la depois. Esta noite, ela ainda esperava por este enlace tão desejado.

O editor se agachou junto dela e disse:

— Então você fará um aborto. Estamos combinados, afinal?

— Não — retrucou ela, limpando o esperma do rosto. — Quero que você me leve a um restaurante. Hoje é meu aniversário.

— Ao diabo com o seu aniversário! Vai fazer o aborto? — Ele se pôs de pé num salto e pregou-lhe um chute nas canelas. — Diga: vai fazer o tal aborto ou não?

A tecelã permaneceu em silêncio e se recusou a ceder.

— Abra as pernas! — berrou ele.

A garota virou e olhou para ele. Seu rosto estava ainda mais pálido do que a luz da lua. O editor a chutou no ventre. Ela tremeu de dor e pressionou as mãos sobre o abdome. Um uivo subiu da boca de seu estômago, mas emergiu de sua garganta como um tímido assovio. Arfando por ar, ela recuou para a parede gravada com a frase do Presidente Mao. O editor se aproximou e apertou seu rosto lavado em lágrimas.

— Vou ficar com você até o dia da minha morte — gemeu ela de algum lugar profundo de suas entranhas.

— Primeiro faça o aborto, depois eu ouvirei suas merdas. — O editor tentou adotar o tom autoritário que usava quando respondia às perguntas de seus subordinados no escritório. Esse tom de voz exigia obediência. Era usado por seu superior, pelo superior de seu superior e por qualquer superior acima dele. Infelizmente, sua garganta era muito estreita para reproduzir os tons sussurrados e melífluos produzidos pelo secretário do comitê municipal do Partido.

— Eu lhe darei 100 yuans — prometeu ele, na esperança de persuadi-la com dinheiro.

A tecelã ainda tremia, a cabeça baixa. Mas quando ouviu essas palavras, caiu em prantos e soluçou:

— Agora que dormi com você, tenho que ser sua para sempre.

— Isso é apenas o que sua mãe lhe ensinou — zombou ele.

— Você mesmo falou que não quer que eu vá embora com outro homem.

— Isso foi há dois anos! Há meses que estou lhe dizendo que já está na hora de arranjar outro homem e se casar.

— Não posso! Você é o único intelectual que eu conheço.

— Alguns funcionários também têm um pouco de cultura, se você procurar bem.

— Eu só quero um escritor. Se eu não ficar com um escritor, minha vida estará acabada. Eu jamais poderia me apaixonar por um homem comum. E quanto a seu passado problemático e sua história de família infeliz... eles me fazem amar você ainda mais.

— Eu inventei tudo aquilo — confessou o editor, sacudindo as pernas magras nervosamente.

— Não acredito em você. Por que alguém inventaria uma história de passagem pela prisão?

— Não estive realmente na prisão. Fui preso uma vez pelos Jovens Pioneiros durante a Revolução Cultural, mas nada sério aconteceu. Eles só me trancaram num escritório por algumas horas.

— Isso significa que sua promoção a editor por seus estudos particulares também foi inventada?

— Tudo aquilo! — ria o editor, deliciado com a infelicidade dela. — Eu sou um zé-ninguém. Um imbecil sem talento! — Ele gargalhou, as pernas agora perfeitamente imóveis. Depois, acrescentou num tom mais duro: — Ande logo e me diga: vai fazer o aborto ou não?

Ela fez uma pausa momentânea e respondeu:

— Não estou grávida de verdade... Só queria ver você, queria que passasse algum tempo comigo. No trabalho, ninguém presta atenção em mim, todos me xingam pelas costas. Além disso, hoje é meu aniversário. — Ela ergueu o rosto para o luar. Enquanto as lágrimas rolavam por suas faces, dois olhos negros cheios de terror e amor ficaram visíveis por trás da franja desgrenhada.

— Você mentiu para mim! — vociferou ele.

O editor se imaginou socando a garota até a morte; o chão estava coberto de tijolos e lajotas soltas. Pensou em afogá-la; o mar ficava a uma caminhada de apenas alguns minutos. Ele a encarou. Essa garota determinada e teimosa drenara todas as suas energias. Nada podia abalar sua resolução. Ele agarrou uma mecha de seus cabelos e berrou:

— Abra a boca! Abra!

Enquanto ele abria a braguilha mais uma vez, a tecelã abriu a boca e, olhando inexpressivamente para o céu, disse:

— Quando terminar de mijar, me leve a um restaurante e me pague uma macarronada de aniversário. Eu imploro, só desta vez...

*

À noite, depois que massageou a mulher até que ela dormisse, o editor observava os traços de batom em torno de sua boca aberta e organizava as coisas em sua cabeça. Era um momento precioso para ele. Claro, era impossível escrever romances ou poesia durante este momento, mas ao menos ele podia relaxar e desfrutar os raros minutos de liberdade proporcionados pelo sono da esposa. Ela era mais talentosa que ele e vinha de uma família melhor. Sua pulsação acelerou uma batida no dia em que ele a conheceu, e desde então só diminuía quando ele estava adormecido.

Havia uma razão para esse medo. Certa vez, o Velho Hep testemunhou quando seu sogro, o comissário político, esbofeteou a romancista na cara. O barulho da bofetada reverberou por sua cabeça, quase fazendo com que ele perdesse a razão. Depois disso, ele sempre teve pavor de que sua mulher decidisse estapeá-lo da mesma maneira. Antes de bater na tecelã pela primeira vez, a violência o aterrorizava. Ele cresceu numa casa tranquila, que tinha cheiro de sabão e remédios chineses. Seu pai tinha mais ou menos a sua altura, talvez um pouco mais baixo, e tinha mãos brancas e delicadas que, quando em movimento, pareciam tão elegantes quanto as de uma dama; ele jamais sonharia em usá-las para machucar ninguém. Quando seu pai foi perseguido durante a Revolução Cultural, sua família se afastou dos outros. Apenas sua mãe ousava erguer a voz em casa. Quando estava contente, ela cantava sua música favorita: "Os servos tibetanos cantam em júbilo por sua libertação pacífica". Quando seu pai retornava do trabalho, jogava cartas e xadrez chinês com o filho. Se não fosse pela Revolução Cultural, o

Velho Hep teria terminado o curso universitário e agora provavelmente seria um professor universitário.

Geralmente, quando se deitava com a esposa, ele tentava perturbar o sono dela puxando a luminária e lançando luz sobre sua pele enrugada. Só ele sabia por que ela sempre insistia em se sentar numa determinada poltrona da casa: a luz naquele lugar era a mais lisonjeira. Um dia ela se sentou em cada poltrona da sala e pediu ao Velho Hep que lhe dissesse onde a luz fazia mais favores à sua pele. Quando se sentou na poltrona que ele escolheu, ela verificou o rosto no espelho de mão e descobriu que a luz da luminária laranja a seu lado de fato lhe dava um brilho sereno e jovial à pele.

Às vezes ele cerrava os punhos e rilhava quando via a tigresa adormecida. Quando ela começava a roncar, ele repassava mentalmente os detalhes de seus casos amorosos secretos. O editor tinha orgulho de ter enganado a esposa. Ele sorria para os seios que caíam para cada lado da caixa torácica da mulher e os cobria com as mãos em concha para mostrar como eram grandes os seios de sua última namorada. "Eles são grandes *assim*", sussurrava ele, os olhos contraídos de felicidade. "Ela tem tetas desse tamanho, e você só tem essas duas bolinhas de pingue-pongue."

Mas, naquela noite, o Velho Hep perdeu sua coragem. Tudo que ele conseguia fazer era se enroscar como um feto e observar o monte de carne deitado a seu lado sob a luz fraca. Antes de dormir, a romancista avisou que visitaria a unidade de trabalho do marido novamente no dia seguinte. Ela já havia passado pelo departamento editorial naquela tarde, planejando contar ao chefe sobre o caso e implorar que ele não levasse o assunto adiante. Ela sabia que, se seu pai ouvisse boatos sobre a situação, tanto ela quanto o Velho Hep estariam acabados. Mas, quando a mulher entrou no escritório vazio do esposo e descobriu a imensa pilha de cartas de amor escondidas na escrivaninha (ela conseguiu arrombar as gavetas com muita facilidade usando um canivete comum), mudou de ideia na hora. Quando a escala da infidelidade ficou clara, seu primeiro instinto foi matá-lo; o segundo foi poupar sua vida, mas assegurar que fosse uma vida desgraçada; o terceiro foi chutá-lo de casa e apagá-lo de sua cabeça. Depois de rejeitar a primeira e a terceira opções, ela se dedicou a realizar a segunda.

A romancista selecionou mais ou menos vinte cartas que exibiam alguma habilidade literária e as separou para usar mais tarde como material em seus romances. Escolheu outras vinte cartas entre as mais íntimas que estavam escondidas num caderno intitulado "Compêndio das Beldades" — um caderno escolar rosa ilustrado com uma casinha e um cogumelo na capa — trocou as cartas de envelope, rabiscou "devolver ao remetente" em cada envelope e os postou no correio; dois dias depois, cada mulher receberia uma carta que outra admiradora escrevera para o editor. Ela recolheu todas as cartas sentimentais de meninas apaixonadas que esperavam conquistar o editor com seus encantos juvenis e mandou-as para os comitês do Partido em suas respectivas unidades de trabalho. Convocou o líder do Centro Cultural Popular e fez com que ele despachasse cartas oficiais para as unidades de trabalho de mais de setenta outras mulheres que escreveram para seu marido, exigindo que conduzissem investigações sobre seus estilos de vida. O departamento editorial foi lançado num caos.

Quando o Velho Hep atravessou a porta de casa naquela noite, depois de abandonar a tecelã na fábrica em ruínas, foi recebido com uma garrafa térmica em pleno voo. Felizmente, o objeto acertou seu peito, e não a cabeça. Com a cabeça baixa de vergonha, ele viu a saia da esposa, tingida com imagens de antigos filósofos. (Esse artigo era apenas para exportação — ninguém mais na cidade tinha uma saia parecida.) Enquanto a saia se aproximava, ele revirava a mente em busca de uma forma de lidar com a situação. Mas, antes que tivesse tempo de chegar a uma decisão, uma perna fina envolta numa meia de náilon transparente (também importada) surgiu de sob a saia e chutou seus testículos. O Velho Hep ganiu de dor e se encolheu no chão exatamente como a tecelã tinha feito algumas horas antes. A dor era lancinante. Ele viu um mar de estrelas douradas passando diante de seus olhos. A romancista o chutou novamente e os ombros cansados do Velho Hep se renderam. A mulher então o arrastou para a luz, sentou-se em sua poltrona, entregou-lhe o caderno rosa e ordenou que ele lesse as passagens que ela sublinhara com lápis vermelho.

Tudo que aconteceu depois disso já havia desaparecido de sua mente quando ele se deitou na cama, exceto sua lacrimosa confissão e a exigência da esposa de que ele se desculpasse oficialmente com sua unidade de trabalho e se entregasse para investigação.

— Se você não fizer o que digo, vou levá-lo ao tribunal — ameaçou ela antes de cair no sono.

Agora ela estava dormindo como uma pedra, e o Velho Hep estava deitado e acordado a seu lado, tristemente contando as horas até o amanhecer. Antes, a noite lhe pertencia, mas agora tudo estava acabado e só lhe restava o medo. Esse medo corria por seu sangue e se espalhava por seus ossos e canais nervosos. Ele se sentia como o rato morto que tinha visto numa esquina fria certa vez. O rato ficou jogado lá por três dias. Em sua cabeça, ele sempre associava o rato a uma colega, porque ela ousara chegar perto do animal e se plantar diante dele com as pernas abertas. Quando ela puxou o Velho Hep para dar uma olhada, ele gritou de pavor e sentiu que sua cabeça estava quase explodindo. Era o mesmo medo que sentira quando os Guardas Vermelhos arrastaram seu pai pela porta de casa e o atiraram para as multidões furiosas do lado de fora. Ele sabia que, em momentos de terror como esses, estava nu e sozinho. A cara do rato apodrecido apareceu mais uma vez diante de seus olhos. Os Guardas Vermelhos o empurraram para um poço de escuridão; a tigresa mostrava os dentes, pronta para devorá-lo. Ninguém viria em seu resgate. Ele e o pai estavam cercados. As vozes da multidão eram tão ensurdecedoras que ele só conseguia ouvir o ódio trovejando por seu corpo. Ele sabia que a multidão do lado de fora era uma grande massa, e que ele estava só. Por um momento, ele pôde ver seus próprios olhos transplantados na cara do rato morto. Estavam sujos e imóveis, mas vivos. Seus olhos podiam ver tudo.

Depois de casado, a segurança de viver sob a benevolente proteção da tigresa foi a coisa que o editor mais apreciara. Ele podia se esconder tranquilamente atrás da mulher enquanto ela lidava com todos os problemas que apareciam. Ela era alta e robusta, uma muralha em que ele podia se apoiar. Se sua esposa não tivesse sido tragada pela Política de Portas Abertas, com seu permanente no cabelo, o brilho nos lábios e a inclusão no *Grande dicionário de escritores chineses*, ele ainda sentiria que sua vida valia a pena. A atitude estrita e inflexível da mulher combinava bem com a sua; ele se acostumou com ela. A romancista era uma mãe para ele, e o editor apreciava viver sob sua asa. Ele gostaria que sua vida tivesse continuado dessa forma para sempre.

Nas primeiras horas da manhã, a respiração da mulher se tornou mais profunda e mais alta, e mais uma vez ele foi dominado pelo recorrente terror de ser sufocado por uma multidão furiosa. Ele sentiu que a esposa agarraria seu braço e o atiraria porta afora. Imediatamente, ele seria cercado por uma massa hostil. Não havia nada que ele pudesse agarrar; estava só e impotente. Seus olhos estavam arregalados como os de seu pai, como os do rato morto, mas ele não podia ver coisa alguma.

Uma ideia súbita lhe acorreu.

— Preciso fugir! Ter certeza de que eles nunca me alcançarão — murmurou ele. O editor pensou numa divorciada que andara encontrando na surdina e que vivia só. Talvez pudesse ficar com ela. Embora ela usasse batom e pintasse as unhas como sua esposa, e até lesse os mesmos livros, ao menos não tinha um mau gênio. Seu principal defeito era sempre se desfazer em lágrimas após alguns drinques. Mas, deitado na cama, ele sequer conseguia lembrar o nome dela. Pensou em todas as mulheres listadas em seu "Compêndio das Beldades", mas também não conseguiu ligar nomes a nenhuma das outras. Depois, ele pensou na tecelã e em seus lábios trêmulos de medo quando da primeira vez em que ele a beijou.

De repente, seus pensamentos foram interrompidos por uma sensação de iminente catástrofe. O sentimento parecia tão real quanto seus devaneios. Virou para examinar a tigresa ondeante e seu corpo ficou gelado. O Velho Hep percebeu que, na verdade, ele próprio era o rato morto.

Temendo que a mulher descobrisse sua verdadeira identidade, ele se enfiou embaixo da cama. Tudo parecia maior embaixo da cama. Ele se perguntou por que os olhos do rato morto estavam tão arregalados e torceu para que seus próprios olhos não se abrissem tanto. Rastejou até a cozinha. Do chão, tudo parecia familiar e, ainda assim, estranho. Ele notou partes da cozinha que nunca tinha visto antes. Sob a pia, descobriu uma grande teia com duas aranhas dormindo no centro, presas num abraço. Entre duas garrafas vazias, viu uma velha batata dando brotos e um pote de mostarda que achou que tinha jogado fora havia meses. O céu do lado de fora da janela ficava mais claro. Ele tentava definir um plano de ação. A tigresa logo acordaria. Ele se pôs de pé e começou a trabalhar no café da manhã. Quando percebeu que primeiro precisaria lavar a pilha de pratos sujos, ele mergulhou num devaneio, como sempre fazia antes de começar a lavar louça.

O Velho Hep subiu à cabine de comando do navio a vapor e segurou o timão. Mas, em vez de deixar o navio voar para o céu, ele o dirigiu para dentro do profundo mar azul. Um funcionário da manutenção correu para perto e lhe pediu que parasse. Ele disse que o navio tinha um vazamento e estava afundando rápido. "Por que ainda está manobrando?", perguntou o funcionário, encarando-o com seriedade.

Alguns meses depois, o escritor profissional viu o editor se arrastando pelos corredores do Centro Cultural Popular. Ele parecia se mover como uma bola de massa de pão puxada por mãos invisíveis. Sua esposa o colocara para fora do apartamento e ele passava suas noites numa cama dobrável no canto de seu escritório. Sem uma mulher em quem se apoiar, ele perdeu toda a compostura e desenvolveu todas as características de um velho. Ficou sujo, de cabeça lerda, esquecido. Seu corpo transmitia um odor indefinível que revirava estômagos. Suas roupas da moda pareciam deslocadas em seu corpo agora encarquilhado e curvado. Ao meio-dia, ele descia ao pátio da frente do Centro Cultural para jogar xadrez com os velhos aposentados que se reuniam ali. O escritor ficou surpreso com essa transformação. Observando-o agora, ninguém acreditaria que esse velho encardido trabalhara como editor da revista literária mais prestigiosa da cidade por 14 anos.

A mente do escritor se volta para a romancista, uma mulher com quem ele dormiu uma vez. Imediatamente, ele recorda o cheiro de maquiagem e tabaco do rosto dela. Às vezes ele ainda tromba com ela do lado de fora da Associação do Escritores ou em algum evento literário, e fica surpreso com sua aparência acabada. Ele sempre se impressiona ao ver como as mulheres parecem ficar velhas da noite para o dia. O escritor acha que a romancista foi a responsável por seu episódio de intimidade. Em certa noite, dois anos antes, ele foi ao apartamento dela para oferecer conselhos sobre seu mais novo romance. Quando chegou, descobriu que as luzes estavam baixas, havia velas acesas e o Velho Hep estava fora da cidade. Ele caiu na armadilha da romancista sem resistir, mas se arrependeu quase instantaneamente, pois a achava superficial e se ressentia pelo que considerava um sucesso literário imerecido.

O escritor diz para si mesmo: *Ela não tinha imaginação. Apoiava-se em sua fila de casos amorosos para encontrar material para suas histórias lacrimogêneas. Os críticos alegavam que ela era uma grande escritora, diziam que seus livros eram inspirados. Para atingir sucesso como autor hoje em dia, é preciso ter levado uma vida problemática. Quanto mais alguém sofreu, mais venderá seus livros. As mulheres de hoje compreendem a importância do tempo, mas ignoram a necessidade de direção. Elas prestam atenção a uma cúpula de abajur e se preocupam em saber quais partes do corpo devem cobrir ou expor. Assim que encontram um homem para agir como seu porto seguro, começam a flutuar pela vida como um barco à deriva no mar. Ela era um barco à deriva no meio do oceano, e o editor (pensar no velho chega a me causar engulhos) era uma meia velha que ela descartou muitos anos antes, mas que ainda navegava a seu lado.*

Hoje o editor é um velho aposentado que passeia no parque toda manhã, ouvindo seu rádio portátil. Sua esposa se divorciou dele no ano passado e abriu uma loja de equipamento eletrônico numa sala vazia da Associação dos Escritores. Essa loja de aparência inocente é, na verdade, uma fachada para um monte de atividades do mercado negro. Por meio dos contatos militares do pai, ela consegue muitas licenças cobiçadas e compra produtos que pode vender pelo dobro do preço. Ela fez uma pequena fortuna e perdeu o interesse pela escrita. Sua carreira nos negócios é muito mais compatível com esta sociedade aleijada, e lhe proporcionou os símbolos máximos do sucesso: uma colchão Sonho Ocidental, papel de parede, cafeteira elétrica, uma televisão de 28 polegadas, um jogo de pratos de porcelana, um pote de Nescafé, uma garrafa de vinho francês, esquadrias de alumínio nas janelas e o apartamento com aquecimento central que contém todas essas coisas.

— É por isso que todos trabalhamos? — pergunta o escritor profissional em voz alta. — É para isso que vamos à universidade, que fazemos amigos? Diga, isso compensa toda essa dor?

— Que dor? — O doador de sangue apaga seu cigarro. Ele se tornou quase tão propenso a fazer perguntas quanto o escritor.

— O que quero dizer é que toda literatura tem seu preço. Os escritores devem sofrer por sua arte. — O escritor profissional não deseja continuar na linha de pensamento anterior.

— Tudo tem seu preço. Se você trabalha duro o bastante, pode comprar qualquer coisa que queira. Exceto o tempo, claro — diz o doador de sangue, triunfante.

— Sim, exceto o tempo. — O escritor sabe que seu caso com a romancista não teve sentido, nenhum sentimento envolvido. Ele admite que sua escrita era uma grande promessa quando ela era jovem, mas que jamais cumpriu com as expectativas. No fim, tudo que ela produziu foi uma série de palavras inconsequentes. O escritor profissional sorri com complacência, convencendo-se de que não conseguia terminar seu próprio romance por estar praticando o autocontrole. Contudo, no fundo ele sabe que é ainda mais imprestável que a romancista. Falta-lhe a coragem de se comprometer inteiramente com alguma coisa ou de pegar o touro pelos chifres. Ele quer ser um observador, uma testemunha objetiva, mas, para se manter alimentado, é forçado a se apoiar em outros e se submeter às necessidades alheias. É preguiçoso por natureza, autocentrado e está destinado a passar o resto da vida às margens miseráveis da sociedade. Ele jamais se acomodou em qualquer trabalho sério. Sempre há um detalhe obscuro para pesquisar ou dever mundano a cumprir e, embora estes forneçam uma bem-vinda distração, também são sua desculpa para atrasar o que precisa fazer. Em contrapartida, essas distrações o arrastam de volta ao mundo real. Sem elas, ele passaria a vida inteira suspenso no ar.

As luzes se apagam mais uma vez e a sala se torna um breu. Por um momento, o escritor profissional se sente como um saco plástico levado pela ventania. Ocorre-lhe que, mesmo inútil, o saco plástico consegue se elevar acima do mundano e mudar de direção. Quando o vento sopra contra ele, o saco se enche de ar e plana pelo espaço — coisa que as criaturas mundanas jamais poderiam fazer.

O escritor de rua *ou* O saco plástico no ar

Em sua mente, o escritor profissional vê o escritor de rua agachado numa calçada na parte nova da cidade, que alguns anos antes era campo aberto. É um distrito novo em folha à beira-mar, feito de concreto e cimento. Os camponeses locais, que foram removidos de suas terras e transferidos para os novos prédios de concreto de três andares, ainda não estão acostumados ao novo modo de vida. Eles ainda deixam lenha e capas de chuva mofadas do lado de fora das portas, mesmo que jamais tenham que queimar lenha ou trabalhar nos campos novamente. As mulheres continuam a atar lenços pretos na cabeça, embora já não precisem se proteger do sol. Os homens agora usam ternos ocidentais, mas ainda fumam seus narguilés a cada tarde. Sempre ficam parados em ângulo, como se apoiados em suas enxadas no campo. As crianças continuam a cagar nas ruas em vez de usar as novas privadas de seus banheiros. Os tetos dos prédios estão cravejados de um emaranhado de antenas de televisão. Os agricultores da zona rural que encontraram trabalho na cidade mas não conseguiram uma permissão de residência se derramam neste novo distrito para alugar quartos particulares.

Os camponeses locais se tornaram ricos senhorios da noite para o dia, e os residentes da velha cidade foram forçados a reconhecer a existência dos "caipiras cara de couve" que anteriormente preferiam ignorar.

O escritor de rua fixou os olhos num saco plástico que flutuava no céu e deixou que todos os pensamentos abandonassem sua mente. Os transeuntes presumiam que ele estava olhando para a igreja recém-reformada ou para a acácia a seu lado. Ninguém poderia adivinhar que ele estava observando o saco plástico, nem que estava agachado apenas para aquele propósito. Em sua esquina empoeirada e tristonha, ele e o saco plástico se tornavam um só.

O escritor de rua veio a esta cidade num rompante, sem nem mesmo dar entrada num pedido de transferência de residência. A escuridão e a neblina de sua cidade natal o deprimiam, e, além disso, ele não podia pagar o seguro anual de 300 yuans que sua metalúrgica passou a exigir de todos os empregados. Assim, ele deixou o emprego e se mudou para a cidade costeira em rápida expansão, à qual se grudou como um chiclete mastigado. Com o passar do tempo, a polícia se cansou de prendê-lo por residência ilegal e o deixou em paz. Ele arrumou uma série de empregos subalternos. Lavou pratos num restaurante, trabalhou como segurança num bar (embora não fosse forte o bastante nem para enxotar um aleijado), entregou bujões de gás, recolheu garrafas plásticas e transportou restos de comida de restaurantes para criadores de porcos nos subúrbios. Após dois anos de trabalho duro, ele abriu um negócio como escritor de rua autônomo. As pessoas o pagavam para escrever cartas de reclamação, cartas de negócios e placas de lojas. Suas únicas ferramentas eram uma caneta, um pouco de papel e um maço de envelopes.

Ele se familiarizou com os últimos documentos emitidos pelo comitê local do Partido e os principais departamentos do governo central. Aprendeu sobre procedimentos maritais, leis fiscais e de publicação, taxas para atividades comerciais, regulamentações para empresas privadas, direitos de senhorios, leis de trânsito, os últimos acontecimentos na política de "Compensação por Injustiças Passadas" e indenização por danos no trabalho. As queixas que escrevia para seus clientes eram coerentes, bem fundamentadas e adequadas à prática comum. Ele ajudava famílias condenadas como direitistas a conseguirem reabilitação e vítimas de danos industriais a garantirem indenização financeira. Rapazes apaixonados pagavam a ele para escrever cartas de amor para suas namoradas; esposas de artistas infiéis o pagavam para escrever críticas aos maridos que eram lidas em julgamentos de divórcio; inquilinos e senhorios o pagavam para preencher seus contratos de aluguel; camponeses analfabetos pagavam para que ele lesse em voz alta qualquer carta que recebessem. O escritor realizava suas tarefas com grande cuidado e os preços eram razoáveis. Sua especialidade era a composição de cartas de amor. Se um cliente enviava uma de suas cartas a uma mulher, era garantido que no dia seguinte ele teria um encontro marcado com ela num banco de parque.

Se pegarmos apenas uma carta entre as milhares que ele escreveu, veremos a fluidez de seu estilo, seu compromisso com a arte e sua profunda compreensão da natureza humana. Ele sonhava em se tornar um escritor profissional, ou pelo menos um intelectual. (Embora baseasse as cartas no que os clientes lhe pediam para escrever, ele sempre refinava o vocabulário e o estilo, alcançando o tom certo em todas as ocasiões.) Suas palavras se sucediam num fluxo contínuo, como a luz da lua cintilando na superfície de um rio.

Certo dia, ele escreveu uma carta para uma velha que queria dissuadir a filha de correr atrás de uma relação com um escritor profissional. Como a carta guardara pouca semelhança com o que a velha pedira, ela voltou na mesma tarde e exigiu a devolução de seu dinheiro. A redação dessa carta causou tamanha angústia ao escritor de rua que ele até pensou em abandonar a profissão. Abaixo, um trecho da carta rejeitada:

> ...O que primeiro aproxima homens e mulheres é a curiosidade, e não o amor. Eles ficam curiosos para saber se um dia poderão unir-se num só. Seu pai era escritor. Ele escrevia artigos para jornais, mas nunca conseguiu publicar um livro. Eu me atirei num relacionamento com ele sem pensar profundamente na situação. A princípio, fui atraída por seu rosto inusitadamente largo — era do tamanho de uma folha de bananeira-nanica. Seu olhar me fazia sorrir e corar. No dia em que sua pele sente pela primeira vez o toque dos lábios masculinos, a mulher perde a cautela com os seios ocultos sob as roupas e fica contente quando o homem os toca e aperta.
>
> Eu tinha tanta curiosidade por minha anatomia quanto ele, e acabei deixando que o homem da cara grande acari-

ciasse e bolinasse todo o meu corpo e depois abrisse minhas pernas. O ato que se seguiu foi horrendamente obsceno. Quando jovem, se eu soubesse que as mulheres precisam passar metade da vida com as pernas arreganhadas para que os homens se metam no meio, certamente não me deixaria envolver por eles. Quando sorri pela primeira vez para aquela cara de folha de bananeira-nanica, jamais imaginei que meu rubor estava ligado de alguma maneira ao vil órgão que ele possuía. Logo "me apaixonei", ou pelo menos era o que minhas amigas me diziam. Eu deduzia que aquele "amor" se referia a todos os sentimentos vergonhosos e sórdidos que vivenciamos quando um homem toma posse de nosso corpo. Depois que nós nos familiarizamos com as partes íntimas um do outro, conseguíamos nos mexer juntos, e minhas amigas me disseram que éramos maravilhosamente compatíveis.

Eu fui tola. Mesmo quando descobri a que se resumia esse tal "amor", não coloquei um ponto final naquilo. Pelo contrário, eu ficava feliz em satisfazer cada um dos anseios dele, e vivíamos grudados um no outro feito cola. Gastávamos nossas energias, desabávamos de exaustão e depois fazíamos uma refeição e caíamos no sono. Esse era o padrão de nossos dias, algo chamado de "vida conjugal normal". Depois, você nasceu. A única coisa boa sobre seu nascimento é que ele destruiu nossa vida sexual. Hoje você tem a idade que eu tinha quando o conheci. Se você ouvir o que sua mãe tem a dizer, talvez escolha um caminho melhor para si.

Meu primeiro conselho é: nunca acredite em nada que um homem diz. Acima de tudo, nunca confie num escritor — eles nos aprisionam numa teia de palavras da qual não há escapatória. Ganham a vida inventando histórias, são mentirosos profissionais. Eles nos contam histórias sobre coisas que nunca aconteceram no mundo real. Eu, pelo menos, jamais testemunhei nenhuma história de amor como as que eles descrevem em seus livros.

Presumo que você e o escritor começaram uma relação sexual, pois, se ele já falou de amor com você, não há dúvida de que ao mesmo tempo já anda fazendo movimentos dentro de seu corpo. Se for o caso, talvez você já saiba que o amor é uma palavra de pouca importância que os homens cospem da boca sem pensar. Ou talvez a curiosidade com o sexo tenha cegado seus olhos para a verdadeira natureza do amor. Ambas somos mulheres. Estamos completamente cientes das várias protuberâncias e cavidades de nossos corpos, e sabemos que elas não chegam nem perto de serem tão sublimes quanto os homens imaginam. Você deve afastar os homens até onde for possível, pois, assim que tiverem apalpado e provado cada parte de sua carne, você se tornará imprestável para eles, nada melhor que um bife numa tábua de cortar. Não espere pelo dia do casamento para começar a meter algum juízo na cabeça dele. Diga de uma vez que ele tem que parar de arrastá-la para a cama ou para barracões abandonados e matagais. Faça questão de permanecer de pé ou sentada em todos os momentos. Jamais lhe dê a oportunidade de deitá-la no chão.

Você se convenceu de que a busca dele em seu corpo é uma busca por amor. Mas o amor não pode ser bolinado ou esfregado...

O escritor baseou a carta de dez páginas nas informações que a velha deu durante a conversa. Ela disse que tentou escrever a carta sozinha, mas suas mãos tremiam tanto que lhe foi impossível segurar uma caneta. O escritor de rua ficou impressionado com sua sinceridade e sua atitude cínica perante o amor.

Quando ele recordava a expressão fria no rosto da velha, sua pele se arrepiava. Ele enrubescia quando pensava nas cartas de amor sentimentais que tinha escrito no passado, pois sabia que as destinatárias agora seguravam as barrigas grávidas e passeavam contentes pela rua enquanto os remetentes voltavam a procurá-lo na surdina, pedindo que ele redigisse cartas para suas novas amantes.

— O amor é uma perda de tempo — dissera-lhe a velha. — Se aquele escritor quer se casar com minha filha, primeiro ele deveria aparecer aqui e dar uma olhada em mim. Sou a imagem de quem ela será daqui a 9 mil dias. Quando ele me vir, sua doença de amor desaparecerá como uma nuvem de fumaça.

A velha resmungou sobre como os jovens de hoje confundem paixão com sofrimento, e disse que são duas coisas diferentes: o verdadeiro sofrimento cruza o corpo como sangue, mas a paixão é uma reação passageira a uma briguinha insignificante entre amantes. Ela prosseguiu dizendo que, se alguém se sente enlevado com as alegrias do amor, isso significa que não explorou completamente a alma do parceiro. Finalmente, depois de afirmar que a filha que ignorava todas as suas cartas estava planejando cometer um suicídio em público, ela chorou:

— Ela é realmente minha reencarnação! Ninguém consegue se colocar em seu caminho. Ela planeja contratar um tigre do zoológico e se entregar a ele feito comida. Se ela voltar para este mundo, nós formaremos uma dupla imbatível.

Depois que a velha se afastou, o escritor de rua teve de bater na cabeça para pensar novamente com clareza. Naquela noite, ele voltou a seu barracão no corredor de entrada de um prédio no centro da cidade e tentou organizar os pensamentos embolados na velha. (Aparentemente, os donos anteriores do barracão — mãe e filho que dirigiam um crematório particular — fizeram um passeio aos subúrbios um dia e nunca mais foram vistos desde então.) Ele concentrou a mente; a lâmpada pendurada no alto brilhava sobre sua careca. Embora ele não possuísse os olhos argutos da velha, que podiam ver através da frivolidade deste mundo, a massa cinzenta em seu crânio fora tão sobrecarregada nos últimos anos que pelos arrepiados se projetaram de suas narinas.

O rosto do escritor de rua indicava que ele não era adequado para o trabalho manual. Seu rosto tinha formato triangular e um tom tão pálido quanto a Lua. Seus lábios eram úmidos e vermelhos como os de uma moça — ainda que isso provavelmente representasse um sinal precoce de tuberculose. O branco dos olhos era amarelo. Ele vivia sorrindo sem nenhum motivo. Quando estava ouvindo a história da velha, e ao escrever a carta para ela mais tarde, o sorriso não deixou seu rosto nem uma vez.

Enquanto ele se sentava sob a lâmpada encarando a parede de tijolos, seus pensamentos se voltaram para Chi Hui, uma moça a quem ele escrevia para um de seus clientes. Embora ele desenvolvesse fortes sentimentos por quase toda mulher a quem escrevia, era para Chi Hui que sua mente se voltava com mais frequência. Pensando nela, o escritor de rua sentia que seu espírito alçava voo como um saco plástico dançando ao vento. No passado, pensar nela fazia com que ele refletisse sobre as folhas de bordo na primavera, o cheiro de cigarros estrangeiros, a semelhança entre uretras e bueiros ou um casal abraçando-se casualmente ao emergir dos banheiros públicos. Mas as palavras da velha perturbaram seu padrão costumeiro de pensamento e sua mente se tornou confusa.

(Ao fim do crepúsculo, o escritor profissional frequentemente vê o escritor de rua atravessando o cruzamento no centro da cidade aos tropeções. Ele sempre se impressiona por ver no escritor de rua os olhos de um jovem inseguro, a calva de um homem de meia-idade, a testa enrugada de um homem de 60 anos e o corpo de uma criança. Ele não faz a menor ideia do que acontece naquela mente, mas anseia por descobrir. Talvez seja por isso que ele sempre presta atenção para ver se topa com o rapaz na rua.)

"O Absurdo é mais real que a própria vida", rabiscou o escritor de rua num canto do jornal.

As cartas que ele compunha não revelavam coisa alguma de sua verdadeira personalidade. Ele adotava uma voz diferente em cada uma; podia assumir o papel de um advogado, de uma garota de escola, um camponês ou uma viúva. Podia ser qualquer um, independente de idade ou sexo. Se alguém quisesse fixar uma identidade para o escritor de rua, teria que dizer que se tratava de uma mistura de todos os papéis que ele assumia. Cada carta era um novo começo para ele, uma oportunidade de experimentar uma nova identidade. Às vezes ele se sentia como se estivesse patinando no gelo, em círculos aleatórios e sobrepostos. Ele sabia onde havia começado, mas não fazia a menor ideia de aonde estava indo.

Ele redigia queixas em nome de querelantes pela manhã e escrevia réplicas para os réus à tarde. Escrevia apaixonadas juras de amor, mas frequentemente tinha que redigir os bilhetes de rejeição que se seguiam. Ele não deixava de sentir pena das pessoas cujo amor ajudara a dispensar. O escritor de rua vivia a vida por intermédio de suas cartas. Tarde da noite, quando tudo estava quieto, as palavras que tinha escrito se debatiam nele como capim no estômago de uma vaca. Entre as pilhas de papel em sua escrivaninha, havia um esboço de carta que ele redigira na semana anterior e que começava assim: "Prezada Camarada Chi Hui, é hora de colocarmos um fim em nosso relacionamento (embora me entristeça profundamente)..." O escritor de rua se lembrou do quanto teve de implorar ao cliente que lhe permitisse acrescentar a frase entre parênteses. Ele escrevera 35 cartas de amor a Chi Hui em nome desse cliente e vivenciou a ansiedade da primeira declaração de amor, a férvida paixão que se seguiu, a oposição do pai da garota e da unidade de trabalho, a tentativa de transferir as permissões de residência, um rápido caso amoroso com uma terceira pessoa, uma reconciliação lacrimosa e, agora, a ruptura final. Ele ficava atormentado ao pensar na dor que causara a Chi Hui. O escritor sentiu um súbito anseio por trair seu jovem e apático cliente e revelar todas as falhas ocultas do rapaz a Chi Hui. Acima de tudo, ele se sentia furioso porque, um dia após escrever a carta final a Chi Hui, esse idiota encomendou uma carta para uma nova garota.

O escritor de rua virou a carta-esboço, pegou a caneta e escreveu: "Posso ver seu rostinho triste, seu cabelo negro-azeviche flutuando ao vento. Há lágrimas em seus olhos. Como ele pôde abandoná-la com tanta crueldade? Você compreende que eu o ajudei a escrever aquela carta? Você deveria ver a caligrafia dele — é uma desgraça! Você esteve em meus pensamentos durante o ano inteiro. Li cada carta sua em resposta a ele, minha querida." (Muito embora ele escrevesse cartas de amor para viver, um rubor sempre aparecia em seu rosto quando ele usava termos afetuosos como esse.)

Virando a página mais uma vez, ele leu: "Você não significa nada para mim agora. Só decidiu sair comigo porque Yuci largou você. Eu só preenchi o vazio. Yuci me mostrou suas cartas para ele. Eram muito mais amorosas do que as cartas que você me mandou." Depois, em sua própria correspondência para Chi Hui, o escritor de rua rabiscou: "Eu mesmo escrevi aquela carta, palavra por palavra. Chi Hui, não posso sequer imaginá-la lendo aquilo. Tenho terror de que você recorra a comprimidos para dormir. Quem dera eu pudesse voar até você duas vezes mais rápido que aquela carta e impedir que ela contamine suas mãos."

Virando o papel do avesso novamente, ele leu: "Você me deprime. E sua família idiota também. Eu me sinto como um cadáver quando estou com você. Sua aparência graciosa não consegue esconder as horríveis cicatrizes deixadas por sua infância pavorosa."

"Adoro seus gestos encantadores, Chi Hui", ele prosseguiu no verso (mesmo sem nunca ter visto essa garota que vivia a mil quilômetros de distância). "Amo sua família, amo sua fragilidade. Seu passado e sua personalidade combinam exatamente com os meus." Ele parou por um momento, tomado por um senso momentâneo de orgulho, e depois continuou: "De todas as jovens que já vi..." (os clientes às vezes lhe mostravam fotos das amadas) "...você é a mais bela. Tem o ar melancólico característico de nossas clássicas 'belezas frágeis'. Ambos somos magros e fracos. Deveríamos passar nossas vidas juntos na doença, cuidando das necessidades um do outro. Quando olho para você, vejo a primeira neve do inverno caindo em minha cidade, a geada na janela de uma choupana de madeira, uma xícara fumegante de chá com leite. Ah, não posso me perdoar por ter escrito para você aquelas cartas tão cruéis!" Do outro lado, ele ridicularizava o rosto em formato de abóbora e a expressão sem vida da garota. "Eu me correspondi com você por um ano inteiro. Como posso simplesmente abandoná-la agora de uma forma tão insensível? Devo estar louco!"

O escritor de rua virava a folha de um lado para o outro. Ele sabia que ambos os lados eram reais e que estava aprisionado no meio. Mas sabia que tinha feito algum progresso. Dez anos antes, ele era um jovem fraco, propenso às lágrimas, que só conseguia digerir quantidades mínimas de comida. Agora, em contrapartida, era um homem maduro de 30 anos com uma variedade de complexas emoções. Quando menino, ele só gostava de assistir a filmes tristes. Ele chorou na frente de seus colegas de turma quando viu a heroína morrendo no filme coreano *A menina das flores*, e sempre se sentia interessado em pessoas com cicatrizes no corpo, pois sabia que cada marca representava um momento de dor.

Ele continuou seu bilhete para Chi Hui: "Eu desejava ter uma cicatriz quando era criança, mas foi apenas aos 16 anos que consegui me cortar com sucesso. Minha inércia e letargia me impediram de realizar qualquer coisa de grande importância na vida. Talvez minha pobre digestão e meu coração fraco sejam os culpados. Decidi me tornar um escritor de rua porque pensei que isso me curaria de minha solidão, mas agora me vejo atormentado por uma infinidade de preocupações. Essa ansiedade faz mal para a minha saúde. Se vejo pais dizendo adeus aos filhos na estação de trem ou um grupo de amigos papeando e rindo, sempre sinto uma onda de náusea."

Após uma breve hesitação, ele prosseguiu: "Por vezes, sinto que sou tão leve que poderia flutuar para o céu. Para impedir que isso aconteça, carrego lingotes de metal em meus bolsos para fazer peso. Às vezes, meus pés parecem deixar o chão. Sou tão pequeno e magro que me pergunto por que o vento ainda não me levou embora." O escritor de rua parou novamente, sentindo que agora estava apenas escrevendo para si mesmo. Ele sabia que sempre conseguia desaparecer da página no final. Podia ser tudo que as pessoas precisassem que ele fosse, mas nunca era capaz de entrar em suas vidas.

Quando se sentou sob a lâmpada, o escritor de rua examinou seu rosto acabado e o corpo cada vez mais emaciado.

(Em suas notas, o escritor profissional muitas vezes alude ao sorriso e às rugas prematuras do escritor de rua. Qualquer um que cresceu numa vila de pescadores imediatamente imaginaria o escritor de rua como um camarão que acabou de ser tirado do mar.) Sua aparência frágil e doentia lhe permitia sumir de cena, mas não impediu que seu negócio florescesse. Suas habilidades estavam em grande demanda. Imigrantes analfabetos que se instalavam no novo distrito da cidade ficavam agradecidos por seus serviços, pois ele lhes dava a chance de se fazerem passar por locais. Jovens que abandonaram a escola precocemente também se apoiavam nele para preencher as lacunas de sua educação. Eles vagabundeavam por perto do escritor o dia inteiro. Ele sorria com cumplicidade enquanto eles lhe passavam todas as últimas fofocas sobre seus vizinhos. Ele recebia informações mais rápido que a velocidade de um telegrama, e era a primeira pessoa procurada quando alguém queria saber o que tinha acontecido naquele dia.

— Você voltou a ver aquele gato? — as pessoas lhe perguntavam quando passavam por ele na esquina. Seu conhecimento sobre o notório "incidente do gato estrangeiro" o tornara famoso por toda a cidade. Um gato estrangeiro do tamanho de um cachorro escapou de uma usina química dirigida por uma parceria sino-ocidental entre empresas. O motorista de entregas da usina, o Velho Sun, foi um dos primeiros a ouvir falar da fuga. Já que ele sabia que o gato muitas vezes passava correndo pelo escritor de rua, o Velho Sun perguntou se ele tinha visto o bicho recentemente. O escritor de rua então divulgou toda a informação que recebeu sobre o caso. Ele disse que, por ter um olho azul e outro vermelho e por ser capaz de dizer "Até logo", "Bom-dia", "Vida longa ao Presidente Mao" e "Porco" em inglês, o gato estrangeiro foi preso, interrogado e detido sob acusação de espionagem internacional. A polícia descobriu um aparelho de escuta e um transmissor de telégrafo afixados na cauda do gato e, atrás do olho, uma microcâmera que fotografara o lado negro do sistema socialista chinês em segredo. Contudo, a coisa curiosa foi que, durante o interrogatório pelos dois oficiais do Departamento de Segurança Nacional, o gato gritou "Vida longa ao Presidente Mao". Ficou claro que o espião reacionário estava tentando ludibriar os investigadores. Na noite em que eles se preparavam para escoltar o gato a Pequim, o bicho mordeu as correntes e escapou. O escritor de rua disse que o viu diversas vezes, passando às pressas e depois saltando e desaparecendo atrás do muro alto do outro lado da rua. Foi só um ano depois que os policiais finalmente conseguiram rastrear o gato e espancá-lo até a morte com cassetetes de madeira.

O escritor de rua trabalhava até tarde da noite, classificando os esboços que escrevera durante o dia e agregando-lhes notas. As notas serviam para lembrá-lo de pedir aos clientes detalhes sobre sua formação familiar e situação política, caso a polícia decidisse verificar seus registros. No novo distrito urbano, semelhante a um emplastro colocado sobre uma antiga ferida, ele se familiarizou com muitas pessoas importantes, incluindo o diretor do comitê do Partido no Departamento de Administração Industrial e Comercial e um criador de aves que fora selecionado como representante local no Congresso Nacional do Povo. O fazendeiro analfabeto recebia sacos de cartas expondo vários crimes e casos de corrupção oficial, bem como inscrições para transferência de residência. Todo dia, o pobre delegado era visto subindo e descendo as ruas em seu caminho para debater uma série de disputas que era chamado a resolver. Seu terno se tornava cada vez mais sujo e suas costas, mais curvadas a cada dia. Crianças que voltavam da escola se enfileiravam atrás dele e cantarolavam:

Velho baixinho e corcunda das costas
Caiu no esterco e ficou sujo de bosta...

Se não estava dormindo ou escrevendo cartas para seus clientes, a mente do escritor de rua sempre se voltava para os esboços de cartas de amor empilhados em sua escrivaninha. Para ele, eram a coisa mais preciosa de sua vida. As cartas continham descrições de suas amadas, declarações de paixão salpicadas com algumas palavras obscenas que, desde a Política de Portas Abertas, já não condenavam ninguém a passar uma vida na prisão — palavras como "amor", "lábios macios", "o sol em torno do qual giro" e "melancolia". Ele sentia afeição por cada mulher a quem escrevera, derramara seu coração para elas. O escritor não apenas conservava as cópias das cartas que lhes mandava, mas também das cartas que elas mandavam de volta a seus clientes. Ele desenvolveu uma profunda compreensão das emoções femininas e estimava a intuição que ganhara com os mais íntimos pensamentos das mulheres.

Em noites de verão, quando casais passeavam à brisa cálida do mar, o escritor de rua se debruçava sobre sua escrivaninha, mergulhado em trabalho, o suor escorrendo da testa. As tarefas que seus clientes lhe entregavam nunca satisfaziam seus desejos criativos por completo. No fundo, ele era um poeta. Quando as pessoas se apaixonavam na primavera, como invariavelmente fazem, ele empregava todas as suas habilidades poéticas para se apaixonar no lugar delas. Quando o outono chegava, ele escrevia cartas rompendo os relacionamentos. Se houvesse mil cartas de amor na primavera, ele teria que escrever mais de novecentas cartas de rejeição no outono. Sua vida estava muito ligada às estações.

Sua complicada vida afetiva tornava o escritor de rua angustiado; quando ele voltava para seu barracão a cada dia, verificava cada canto do quarto para ver se havia alguém escondido ali. A busca levava quase meia hora para acabar, porque os antigos proprietários tinham apinhado cada canto com tábuas de madeira com que planejavam fazer móveis. Havia também seis ou sete caixas de roupas funerárias, lanternas de papel e serpentinas de incenso, e mais outro monte de badulaques sob a cama, que tomava um terço do quarto. Quando ele se deitava na cama à noite, sempre se preocupava com o que havia ali embaixo e temia que alguém estivesse escondido para espioná-lo. Antes de entrar no barracão, ele colava a orelha na porta da frente e ouvia atentamente em busca de algum barulho, e à noite escondia um martelo sob o travesseiro para lidar com qualquer coisa que talvez aparecesse ao pé de sua cama. Ele fez marcas nas caixas de madeira e as verificava regularmente para assegurar-se de que nada tinha sido deslocado. Numa gaveta secreta de seu armário, ele escondia as cartas que escrevia para as mulheres de seus clientes e em que ele expressara seu amor imortal por elas. Claro, ele nunca as postou. Eram as cartas mais pessoais e verdadeiras que já tinha redigido.

Com o passar do tempo, o escritor de rua se tornou cada vez mais preocupado com o conteúdo dessas cartas secretas. Às vezes, ele puxava uma carta da gaveta baixa e riscava algumas linhas antes de devolvê-la cuidadosamente a seu lugar. Ele apagou a seguinte linha de uma carta que escrevera para Chi Hui: "Oh, vida, você avança tão rápido. Segure minha mão, pare por um instante e me diga qual é o seu sentido." Um pedaço de papel que ele rasgou de outra carta e destinou à lixeira estava gravado com as palavras: "Esta caneta lhe escreveu cartas durante sete anos. Ela me compreende e me perdoa. A ela, você pode fazer todas as perguntas que queira, se possui qualquer dúvida quanto a meu amor por você." Outra passagem rejeitada dizia: "As mulheres sentem uma irresistível atração por mim. Com uma de vocês a meu lado, sinto calor e paz. Vocês irradiam ondas que penetram cada parte de meu corpo. Sentado na esquina ou nos fundos de um cinema, entro em transe com a mera visão dos pelos finos de sua pele."

Ele observou a longa sombra na parede sobre o baú no canto do quarto e disse consigo:

— Realmente parece um policial esta noite. — Ele sempre pensava em limpar o barracão de toda a bagunça, inclusive das tábuas de madeira, mas nunca estava em casa durante o dia e tinha medo de que o barulho atraísse a atenção dos vizinhos e da polícia à noite.

Contudo, em certa manhã, ele decidiu ficar em casa e fazer uma limpeza geral no quarto. Ele rasgou o pano vermelho que pendia ao longo do centro da cama e o guardou no baú. Depois, passou uma demão de tinta na mesa e nas paredes e decorou o quarto com novos calendários com imagens de auspiciosas garças de cristas vermelhas e fotografias da estrela de cinema Liu Xiaoqing. Quando ele deitou na cama naquela noite, o quarto parecia muito mais acolhedor. Naquela ocasião, ele dormiu tão bem que ejaculou em seus sonhos.

Às 3 horas, o escritor de rua foi acordado por um barulho discreto e abafado. Ele abriu os olhos e viu uma sombra longa e fina passando pelo quarto.

— Quem está aí? — perguntou ele, com gotas de suor porejando de sua testa contraída. Agora ele via que a sombra era uma velha bruxa de cabelos brancos e compridos e sapatos de aparência metálica.

— Aquele incinerador era muito quente — disse a sombra, zumbindo como um mosquito. — Estou procurando um pedaço de pano que ainda não tenha desbotado. — Ela se agachou e revirou o baú.

— Esta é a minha casa! — exclamou ele, suando.

Tremeluzindo, a aparição soltou uma risada.

— Haha! Mas eu vivi aqui a minha vida inteira! Conheço cada canto deste quarto como a palma da minha mão. Quando o lenço sujo que está embaixo do seu travesseiro ainda era novo, eu guardava meu anel nele. Já olhou embaixo da cama?

O escritor de rua sacudiu a cabeça e descobriu que ainda estava vivo e que a velha espectral passando diante de seus olhos também era real. Os fios de cabelos negros em sua calva ficaram de pé. Ele abriu a boca, a língua ansiando por uma gota d'água.

— O que tem embaixo da cama? — perguntou o escritor. Ele viu a bruxa se movendo para perto e depois se sentando, ou melhor, caindo em cima da cama.

— Que criatura patética você é — murmurou ela. — É tão magro quanto um palito de fósforo. Quanto tempo mais planeja ficar aqui?

— Mas eu moro aqui... — respondeu ele ao rosto nebuloso e sombrio. Essas palavras acalmaram seus nervos, e logo os cabelos de sua cabeça caíram de volta sobre o couro cabeludo. O escritor de rua suspeitou de que estava falando com um fantasma. Era uma ocorrência comum para ele: já tinha recebido visitas dos fantasmas da Virgem Maria e do Presidente Mao, de uma menina que vira numa revista e de uma mulher com pés pequenos que passara por ele na rua. Certa noite, quando foi visitado pelo espírito de um policial que o acossara alguns anos antes, o escritor de rua o esbofeteou no rosto e arrancou seu capacete. Quem sabe a velha de cabeça confusa fosse apenas outro desses fantasmas. Ele tentou sair da cama, assim como tinha feito quando bateu no policial, mas suas pernas não paravam de tremer.

— Seu vermezinho — disse a velha megera, no mesmo tom áspero que usava com o filho. — Você é como um verme roendo um cadáver. Entra em nosso barracão todas as noites, fingindo ser louco, sempre repetindo o nome de uma mulher. Dentro de mil dias, essas garotas serão como as velhas donas de casa que você vê por aí, arrastando os filhos pela rua. Até o rosto mais viçoso um dia parecerá um pedaço de carne-seca. Todas as mulheres ficam fedorentas e desengonçadas na meia-idade. Por que você não ouviu o que a mãe daquela atriz lhe disse? Por que ainda está aqui, perdendo seu tempo escrevendo essas cartas obscenas?

Quando a velha bruxa se agachou no chão, ele ouviu algo farfalhando dentro do baú. Dois camundongos saíram de sob a cama e saltaram na gaveta mais baixa de sua escrivaninha.

— Por que não põe um fim nisso agora? Você terá que partir mais cedo ou mais tarde, então é melhor resolver logo isso. Ah! Vejo que nossos pertences ainda estão aqui. Pelo menos você não roubou nada. — Os ruídos pararam. O escritor colocou a mão sobre os pulmões e o coração para verificar se ainda estava vivo. Quando todos os sons silenciaram, ele se ergueu na cama, acendeu a luz e esperou que a manhã chegasse.

No começo da manhã seguinte, o escritor de rua voltou para sua esquina. Era um belo dia. Ele percebeu que não havia vento porque o saco plástico não se agitava e as nuvens brancas no céu estavam perfeitamente paradas. Agachando-se junto à parede, ele encolheu os ombros e se perguntou por que os espíritos eram tão vis. Talvez estivesse perturbado pela velha bruxa que o importunara na noite anterior ou pelo que a mãe da atriz lhe dissera na semana anterior; ou talvez o esforço de escrever tantas cartas todos os dias finalmente estivesse cobrando seu preço. Após viver tanto tempo longe da família, os pensamentos se voltavam constantemente para sua cidade natal, embora a visão do saco plástico branco sempre o puxasse de volta para o presente com a rapidez da chibatada de uma tira elástica. Agora, agachado na esquina, ele recordava uma ocasião de sua infância ocorrida numa época em que as folhas de bordo se tornavam vermelhas — ocasião em que ele caminhara para uma árvore com os olhos cheios de lágrimas, pegara um lápis e talhara no tronco da árvore as palavras "Ajudem-me! Ajudem-me!" Mesmo naquela idade precoce, ele gostava de usar palavras para expressar o que tinha em sua mente. Ele também se lembrava de ter ficado de pé durante horas diante de um balcão de loja, observando as canetas-tinteiro que não podia comprar; de correr por todo o dia ao longo das margens de um rio depois que sua mãe lhe deu um tapa na frente de seus colegas de classe; de chorar secretamente pela garota da casa ao lado, que cometera suicídio; de arrancar os primeiros brotos de capim na primavera e rolar nu pela terra pura.

Agora um homem na casa dos 30, o escritor de rua sentia que as promessas que cada primavera trazia eram vazias e enganosas. Ele descobriu que os estágios da jornada de sua vida, na verdade, eram tão perfeitamente delineados quanto os ideogramas nas páginas de seus esboços de cartas. Ele sabia que representavam uma visão lamentável e que sua mente estava cheia de memórias secas e sem sentido. A velha bruxa que o perturbara na noite anterior estava certa — ele era um pedaço de lixo, preso com cuspe na esquina da rua.

O escritor de rua pegou sua caneta. Independentemente do que acontecesse, ele sabia que tinha que escrever. Dois camponeses que lhe pediram para elaborar uma queixa estavam parados pacientemente a seu lado. Eles viajaram até a cidade para relatar que o secretário do Partido de sua vila assassinou uma viúva e seus filhos. Depois que o escritor de rua terminou a carta, ele ajudou os dois a postá-la e os convidou para uma refeição. Quando os camponeses ergueram os olhos agradecidos para ele na mesa do restaurante e pegaram os bolinhos brancos nas mãos trêmulas e encardidas, pensamentos lhe encheram a cabeça mais uma vez. Ele já tinha visto muitos camponeses como esses nos trens que tomava para sua cidade natal. Eles viviam como baratas, correndo de um lado para o outro, lutando para sobreviver. Ele pensou nos cheiros de comida rançosa que emanavam de suas bolsas de couro falso e se misturavam com o fedor do banheiro no fim do vagão quando essas pessoas se sentavam nos trens.

Sempre que ele retornava para casa, sentia-se frágil e vulnerável como um bicho-da-seda que acabara de sair do casulo. Sua permissão de residência sempre estaria ligada a seu lugar de nascimento; ele não tinha qualquer contato importante para ajudá-lo a pedir uma transferência. A única maneira de sobreviver nesta cidade costeira era mesclando-se ao cenário. Ele raramente entrava em lojas e só visitava os banhos públicos uma vez por mês, fazendo questão de entrar pouco antes da hora de fechar. Só ousava buscar água de sua torneira do lado de fora no meio da noite. Para evitar lavar roupas e ter que pendurá-las para secar, ele apenas raspava a gordura e a sujeira dos colarinhos das camisas a cada quatro dias com a lâmina de seu abridor de cartas. Fazia as refeições numa barraca de bolinhos em cujo dono confiava, e sempre deixava o barracão bem cedo na manhã, antes que todos os vizinhos acordassem. O escritor ficava impressionado por ter conseguido sobreviver por todos esses anos sem levantar suspeitas sérias.

— Veja a maquiagem dela! Parece uma casca de ovo pintada! — murmurou ele, vendo uma mulher que passava a seu lado na rua, e depois ficou chocado com esse comentário. Ele enterrou a cabeça nas mãos, agarrou um pedaço de papel e rabiscou: "Desta vez eu realmente fiquei louco. Nada parece real." Enquanto a ponta da caneta rabiscava a página, uma imagem de sua infância cruzou-lhe a mente mais uma vez. Ele se viu com 6 anos, saindo de uma caixa, erguendo os grandes olhos úmidos e choramingando: "Me largue! Eu posso sair sozinho." Ele pegou o menino e o colocou no chão. A criança engatinhou pelo chão e uma de suas pernas se soltou de repente. Depois, a cabeça caiu e rolou na direção da luz que angulava pela janela.

— Você não é real — disse o escritor, aproximando-se da criança e arrancando-lhe os olhos do rosto. Ele então viu os olhos da criança exibidos numa vitrine de loja. Uma mulher gorda comprou os olhos e saiu com eles, e o escritor a perseguiu através de um labirinto de ruelas estreitas. Era um sonho que vinha se repetindo por 13 anos.

— Aqueles olhos veem tudo — geralmente comentava, quando acordava desse sonho. — Quando eu for para o céu, voarei como um pássaro.

Caminhando para casa à noite sob a luz dos postes, às vezes ele via a criança desmembrada caindo no chão como uma pluma. Mas, nesta noite, enquanto se aproximava do cruzamento no centro da cidade com as palavras da velha megera ainda correndo por sua mente, seus pensamentos se esclareceram e uma terrível sensação de culpa se abateu sobre o escritor. Ele sentiu vergonha de sua profissão desonesta e de todo o amor que ajudou a destruir. Ele queria levar uma vida honesta, mas não havia espaço para honestidade neste lugar.

Nas silenciosas horas que precedem o amanhecer, ele ainda estava acordado, escrevendo em sua mesa.

"O homem ganha sabedoria somente por meio do sofrimento. As pessoas que nunca sofreram são incapazes de crescer. A felicidade é uma choupana de madeira que se encontra após uma longa e difícil jornada; as pessoas que tomam o caminho fácil nunca conseguem vê-la. A infelicidade que sofri no passado foi a infelicidade de outras pessoas. Não deixou em mim nenhuma marca."

Quando finalmente percebeu a verdade, o escritor magro como um caniço soltou uma gargalhada. Ele pensou no que a mãe da atriz lhe dissera e nas centenas de cartas de amor que tinha escrito. Embora tivessem explorado suas habilidades criativas, os clientes retribuíram com grande dose de conhecimento. As revelações íntimas das mulheres permitiram que o virginal escritor de rua amadurecesse com graça. Ele percebeu que finalmente superara sua timidez e embaraço e que agora era hora de buscar seu próprio amor. Pasmo com essa ideia, ele saltou da cama e ficou parado por um momento. Estava enlevado. Jamais acreditara que chegaria o dia de embarcar num caso de amor real, só dele.

— Mas a quem devo amar? — perguntou-se. Enrubescendo, ele pensou em Chi Hui, a jovem de uma província distante a quem ele escrevera apaixonadas cartas de amor por todo um ano. Duas semanas antes, ele esteve prestes a estrangular seu cliente por toda a dor que causara a ela. O amor que se derramava das cartas dela como flocos de neve o tornava ébrio de confusão.

Ele afastou da mente as palavras cínicas da mãe da atriz, sentou-se no chão e folheou toda a correspondência relacionada a Chi Hui. Uma estranha paixão transbordava de seu peito. Ele queria ter um caso de amor com uma mulher, em pessoa. Queria sofrer as agonias do amor. Queria beijar alguém, conquistá-la, adorá-la. Queria uma mulher de carne e osso. Uma fina camada de suor umedeceu seu rosto. Ele ria com prazer enquanto examinava os esboços das cartas que enviara a Chi Hui. O escritor de rua percebeu que a amava, que talvez sempre a amara. Nessas cartas, ele escrevera descrições de seu belo cabelo, dos dentes, das covinhas e dos seios, e entre cada palavra e cada linha ele deixara traços de seu amor.

O escritor se pôs de pé e caminhou até a mesa. Uma imensa alegria parecia encher o quarto. As terminações nervosas de sua pelve e suas coxas, até então insensíveis, subitamente vieram à vida. Sua mente se nublava, o peito ardia de ansiedade, a pulsação acelerava uma batida. O escritor de rua se imaginou sorrindo timidamente enquanto Chi Hui balançava a cabeça na sua frente. Ele estreitou uma pilha de cartas de Chi Hui em seus braços e saltou de volta à cama. Correndo a língua pelo lábio superior, ele esticou uma perna na frente da outra e riu, contente.

Ouvindo uma discreta batida à porta, engoliu a risada rapidamente. A experiência lhe ensinara que o som de risadas sempre atraía a polícia. Ele fechou o cinto e, como um homem convocado a um interrogatório, abriu a porta de cabeça baixa. Uma figura, com um cheiro tão adocicado quanto rançoso, correu para dentro, bateu a porta e se plantou diante dele. Através de seus cílios, o escritor de rua reconheceu o rosto da mãe da atriz. Ela torceu sua grande boca num sorriso e o encarou com olhos tão profundos e estreitos quanto os de um leopardo.

— É você... — murmurou ele, aterrorizado e confuso.

— Minha filha cometeu suicídio ontem à noite. Ela não escutou meu conselho. — A velha se aproximou e pôs os braços em torno dele.

O escritor de rua não teve tempo nem de esboçar resistência. A velha arrastou o frágil e tuberculoso rapaz para a cama e esmagou seus lábios manchados de batom sobre sua boca. A próxima imagem a cruzar a mente do escritor não foi de Chi Hui e suas madeixas esvoaçantes, nem do policial que o acossara na esquina — foram os olhos negros da mulher brilhando à luz do abajur. Sua mente então se esvaziou e tudo que ele pôde ver foi um saco plástico branco flutuando no ar parado. Subitamente, ele sentiu seu corpo franzino mergulhando num escuro tonel de gordura como um sopro de vento. Ele tentou se libertar do domínio da velha, mas, antes que pudesse juntar forças, as luzes se apagaram, tudo ficou negro, e ele não viu mais nada.

Que o espelho seja o juiz *ou* Nu

O escritor profissional vê a moça correndo despida pela rua, os mamilos caídos, tão tristes e sozinhos quanto os olhos de um homem cego. Em sua mente, ele ainda confunde essa garota com a mãe do empreendedor, cuja personalidade parece ter penetrado em muitos personagens de seu romance não escrito.

Os seios da moça eram grandes, volumosos, pesados, macios e pendentes. As mulheres veem essas protuberâncias carnudas como instrumentos para o flerte e a amamentação; para os homens, são inspiração para grande variedade de pensamentos criminosos. Estudantes eruditos se referem a eles como seios; artistas os retratam como pêssegos de ponta rosada; camponeses os veem meramente como objetos que descaem para a barriga e são agarrados quando bebês precisam de alimento. Nos vilarejos, os homens veem seios nus o tempo todo; para eles, um peito descoberto é tão insípido quanto um braço descoberto. Mas assim que essas protuberâncias adentram as cidades, tornam-se objetos de imenso valor. Mulheres modernas os mitificam, escondendo-os sob sutiãs justos. Fotógrafos sempre tomam cuidado quando apontam as câmeras para o peito de uma mulher, porque sabem que um decote excessivo pode gerar acusações de "Liberalismo Burguês" e mandar alguém para uma temporada de quatro anos na cadeia.

Os escritores contemporâneos mais ousados se referem a eles de formas variadas, como "almofadas curvilíneas", "bolinhos tenros", "pétalas de rosas", "frutas maduras" e "meu ansiado refúgio". Ao descrever a experiência de tocar um seio pela primeira vez, eles dizem ter "se reunido aos imortais", "desfalecido de prazer", "vacilado no precipício entre a vida e a morte". Como reação a esse sentimentalismo, escritores de vanguarda preferem usar palavras como "tetas", "peitos" e "morangos murchos".

Com o advento da Política de Portas Abertas, alguns fatos sobre os seios entraram na consciência coletiva:

Seios grandes e redondos significam uma esposa virtuosa e mãe capaz. Bom material para casamento.

Seios empertigados e de porte médio com pálidos mamilos rosas indicam a amante ideal. (Seios como esses fazem os artistas babarem de desejo.)

Seios flácidos ou caídos, sejam grandes ou pequenos, indicam uma mulher que se entregou excessivamente aos prazeres sensuais e já passou da flor da idade.

As mulheres com seios muito pequenos geralmente são castas e sérias e tendem a ser altamente inteligentes. Sua falta de autoestima produz uma sensibilidade particular, e muitas vezes elas apresentam um talento para poesia ou trabalho acadêmico. Quando tentam seduzir um homem, elas se enrolam em vestes vaporosas, diminuem as luzes e sussurram palavras doces em seu ouvido. Elas o encaram afetuosamente e tentam desviar as atenções dos seios para as pernas bem torneadas, os lábios cheios, mãos suaves, cabelos sedosos ou sobrancelhas graciosamente arqueadas. Secretamente, elas compram bombinhas para os seios — um produto disponível no mercado desde a Política de Portas Abertas — e, assim que chegam em casa, trancam as portas e começam a bombear. Uma loja de departamentos local recebeu duas mil bombas num dia e esgotou tudo em menos de duas horas.

Um empresário japonês investigou o mercado para seios na China e decidiu abrir a primeira clínica de cirurgia plástica da cidade, oferecendo às mulheres injeções de um fluido que inchava os seios por três dias. Durante esse tempo, seus namorados podiam acariciá-los e boliná-los sem causar dor alguma. Essas injeções eram ideais para mulheres que estavam se aproximando da noite de núpcias ou de um encontro que prometia uma noite de paixão. A clínica também podia levantar narizes chatos, fazer dobras em pálpebras lisas, aplainar rugas, talhar sobrancelhas peludas em elegantes linhas finas ou remover as sobrancelhas por completo e substituí-las por arcos tatuados. Se alguém estivesse insatisfeita com o tamanho do queixo, a largura da testa, o formato dos dentes ou da boca, a clínica também poderia colocá-los no lugar.

Alguns meses depois, os jornais noticiaram um grande avanço nas descobertas científicas. Após cem dias de experimentos, cientistas chineses produziram com sucesso um creme aumentador de seios. Uma pesquisadora do laboratório passou um pouco do produto descuidadamente sobre a boca durante os testes e, alguns minutos depois, seus lábios incharam até o dobro de seu tamanho anterior. Os fabricantes alegavam que, se uma mulher sem seios passasse dois potes do creme no peito, ela desenvolveria seios do tamanho de pequenos bolinhos. Os jornais também mencionaram que cientistas estrangeiros criaram uma técnica de aumento de seios que consistia em enfiar bolsas de um fluido transparente e pegajoso dentro da pele sobre a caixa torácica.

Ao que parece, os seios desempenham um papel muito importante em nossas vidas.

A jovem recém-designada para o Departamento de Propaganda Cultural da cidade possuía o tipo de seio que indicava uma boa esposa e uma mãe capaz. Quando ela estava na universidade, a visão de seus seios fazia com que os estudantes trombassem diretamente com as árvores e postes nas calçadas. Quando ela entrava na cafeteria, os estudantes derrubavam os pauzinhos, sobrepujados por desejo e assombro. Ela percebeu que era uma em um milhão, dona de dois tesouros inestimáveis, embora também soubesse que teria que passar o resto da vida preocupando-se em saber quando escondê-los e quando exibi-los. Ela podia fechar os olhos e ficar certa de que sua silhueta era mais atraente e modelada que a de qualquer garota a seu redor.

Contudo, nem sempre ela teve orgulho de seus seios. Quando as duas massas de carne começaram a brotar em seu peito, a garota presumiu que havia contraído alguma doença e ficou apavorada demais para contar à mãe. Quando compreendeu que, na verdade, estava virando mulher, ela se sentiu culpada e envergonhada. A garota sentia os olhos da multidão concentrados em seus seios, que se projetavam visivelmente sob a camisa justa e balançavam de um lado para o outro enquanto ela caminhava pela rua. Ela achava difícil se acostumar com o escrutínio da multidão e passou os primeiros anos da adolescência com os ombros curvados.

Mulheres com rostos bonitos mas peitos chatos conhecem a importância de jogar os cabelos para trás de modo provocador. Algumas até aprendem a rebolar o traseiro quando passam andando por um homem, a expor um pouco da coxa quando cruzam as pernas ou sussurrar palavras sugestivas entre os lábios pintados de cor-de-rosa. Mulheres que não são nem bonitas nem peitudas têm que recorrer à inteligência, ampla leitura e maneira refinada se quiserem despertar o desejo de um homem. Mas, antes mesmo de deixar a universidade, esta garota já estava ciente de que seus seios macios e alvos seriam a razão máxima do interesse dos homens por ela e a fonte de sua futura felicidade. Após sentir vergonha deles no passado, ela agora os via como objetos misteriosos e fascinantes.

Depois que se formou na universidade, a moça se mudou para esta cidade e assumiu o emprego que lhe fora designado pelo Partido. Ela deveria passar todos os dias num escritório com as mesmas quatro mulheres e um homem. Se não tivesse sofrido os problemas que encontrou durante o primeiro mês, ela teria conservado seu posto até fazer 62 anos, e depois se aposentaria em paz. Era um trabalho seguro. Em seu primeiro dia no escritório, os dois cactos que estiveram no limite entre a vida e a morte subitamente irromperam num furor de flores brancas. A atmosfera relaxou imediatamente. Ela sabia que estava explodindo de juventude, e que a cada vez que exalava enchia o ar com o aroma da primavera. Embora suas colegas se sentissem secretamente ameaçadas por sua chegada, elas lhe deram educadas boas-vindas. Mas, assim que a garota deixou a sala, as outras começaram a debater se sua pele alva era o resultado da aplicação do creme importado Floco de Neve ou se sua cintura aparentemente fina era, na verdade, apertada com um espartilho.

— A barriga dela parece um pouco flácida — informou a velha contadora às outras após seguir a garota até o banheiro feminino.

A tradutora de meia-idade ergueu os olhos da máquina de escrever.

— A cara é tão gorducha que ela já tem covinhas nas bochechas. Quando fiz 40 anos, a pele do meu rosto ainda era firme e lisa.

— Nem 20 anos e ela já tem os seios de uma matrona — disse sorrindo, a Presidente Fan, a virgem de 55 anos. — Não ficarei surpresa se ela já tiver feito um aborto.

A jovem secretária que se casara recentemente entrou na conversa e comentou:

— Talvez ela tenha injetado alguma coisa nos seios.

— A mim me parece que ela andou passando creme — opinou a velha virgem, voltando à cadeira junto da janela. — Ou então ela deixou que muitos homens espremessem os peitos dela. Por que outro motivo eles estariam tão grandes?

Se observássemos a Presidente Fan com atenção, notaríamos um brilho malicioso em seus olhos. Ela trabalhou em sua mesa junto à janela no canto da sala durante os últimos

30 anos. Antes da chegada da moça dos seios grandes ao escritório, ela nunca tinha se metido em papo-furado com as colegas. Ninguém jamais ousava se aproximar de sua mesa, nem mesmo olhar para fora através do seu lado da janela. Ela sempre fazia questão de que a metade da janela que sua mesa tocava fosse mantida imaculadamente limpa. A Presidente Fan prendeu um aviso de "Não Fume" sobre a vidraça superior e pendurou um pano comprido sobre as duas vidraças de baixo para bloquear os raios do sol que batiam em sua mesa à tarde. Seu canto da sala sempre tinha cheiro de galochas molhadas e naftalina. À garota dos seios grandes foi dada a mesa diante dela. Do ponto de vista privilegiado da velha virgem, os seios da moça de fato pareciam extraordinariamente grandes. Eles se projetavam tanto que pareciam prestes a atacar a mesa.

Quando a garota voltou do banheiro e retomou sua cadeira, as quatro mulheres ficaram em silêncio. Elas saborearam o momento de secreta cumplicidade — sentiam-se unidas pela opinião comum relativa aos seios particularmente grandes da garota. Depois disso, quando ela entrava no escritório a cada manhã, com os olhos repletos das alegrias da primavera, as outras mulheres assumiam sorrisos fixos e trocavam olhares sugestivos.

Antes de receber o primeiro contracheque mensal, a moça já tinha feito amizade com a secretária, que era a mais nova das quatro colegas. A secretária revelou histórias do temperamento violento de seu marido em troca de descrições dos casos amorosos da garota na universidade; ela ofereceu à moça um pedaço de nogado que seu marido trouxera de uma viagem de negócios, e a outra lhe deu um chaveiro de plástico. Logo elas começaram a fazer piadas sobre as colegas mais velhas e estavam quase no ponto de compartilhar segredos sobre as vidas privadas de suas amigas.

A atmosfera no escritório se tornou tensa. Depois que a secretária virou a casaca contra as três mulheres mais velhas, uma guerra fria se instalou e a solidariedade entre a "velha guarda" desmoronou. Se alguém por acaso batesse uma caneca na mesa, um minuto depois outra colega batia uma caneca com mais estardalhaço. Certa manhã, a tradutora entrou usando um novo vestido florido e anunciou que suas galinhas tinham parado de botar ovos e estavam quase prontas para a faca. Sabendo que isso era uma piada velada à sua custa, a velha virgem encarou a tradutora e zombou:

— Sua filha lhe deu esse vestido? Ele realmente tira muitos anos de você... — Essas batalhas se prolongavam nas sessões de estudos políticos. Quando a velha contadora terminou de ler um relatório sobre um herói local que se afogou tragicamente ao tentar salvar a vida de um porco de propriedade do Estado, a tradutora e a secretária pareceram indiferentes. As duas nem sequer tentaram fazer uma demonstração de tristeza. A Presidente Fan percebeu o comportamento e fez uma anotação a respeito em seu caderno.

— Elas parecem ter algo contra mim — disse a garota à secretária um dia após o trabalho. A essa altura, elas já estavam tão próximas que partilhavam lanches na hora do almoço. As relações no escritório entraram no estágio "preparações para combate de segundo grau". Embora um dos cactos ainda florescesse, o outro perdera todas as flores, e seus espinhos se tornaram vermelhos e duros.

Elas caminharam até a parada de ônibus. Durante os dois dias anteriores, elas passaram a dar as mãos quando caminhavam juntas na rua. A secretária liderava o caminho, e a jovem se permitia ser conduzida. Toda mulher precisa desse tipo de relação. A secretária apreciava essa intimidade, que compensava toda a infelicidade doméstica que ela sofria desde sua noite de núpcias. Ela gostava de revelar segredos de alcova para a moça que não se iniciara em relações sexuais (ou não "pulara no mar", como dizia o novo ditado). Em troca, ela experimentava prazeres que nunca tinha vivido antes: a sensação da mão cálida e inocente da jovem na dela; o sentimento de piedade, semelhante à pena que um gato sente antes de atacar sua presa; o conhecimento de que tinha o poder de controlar o que poderia acontecer à jovem. Sua vida subitamente parecia mais interessante. De vez em quando ela tentava se controlar, mas agora já não podia se conter e finalmente revelou o segredo que compartilhara com as colegas.

— Elas brigaram por sua causa.

— Quê? — A moça engoliu um áspero sorvo de ar. — Por quê?

A secretária não queria estragar a amizade com a jovem. Portanto, mantendo a mão da moça sob seu punho firme, ela disse num tom reconfortante:

— Você não notou o que tem acontecido?

A garota dos seios grandes não fazia a menor ideia do que a secretária estava falando.

— Diga o que você sabe — gritou ela. — Diga agora!

— Tente adivinhar primeiro.

— Não me venha com jogos. — O rosto da garota ficou vermelho.

— Ao que parece, a Presidente Fan tinha razão. — A secretária arrastava o assunto propositalmente.

— Por favor, irmã, eu imploro, conte para mim. — A garota recuou novamente ao papel de alguém que precisava de proteção.

Não era a primeira vez que a secretária era chamada de "irmã", então sua expressão não mudou.

— Ela tem inveja de você; aquela velha galinha idiota que não pode mais botar ovos.

— O que ela disse de mim? — O rosto da garota passou de vermelho a branco.

— São seus seios — respondeu a secretária, tocando o braço da jovem suavemente. — É porque você tem seios muito grandes. — Ela agora usava o tom de voz que as mulheres adotam quando falam sobre contracepção e assuntos sexuais.

A garota cobriu o rosto com as mãos e congelou no lugar. O sentimento de inferioridade que ela enterrara por tantos anos subitamente transbordava nela e a arrastava de volta aos tempos em que ela caminhava pela multidão encolhendo os ombros como uma velha, coberta de vergonha e medo pelos dois montes de carne de seu peito. Ela se lembrou da primeira vez que a mãe a humilhou diante de seus colegas, dizendo:

— Você deveria ter vergonha, usando essa camiseta. Todo mundo pode ver seus mamilos! — Naquela noite, ela pegou emprestado o sutiã branco da mãe e comprimiu os seios junto ao peito. Quando saiu de casa no dia seguinte, sentia que todos sabiam que ela era uma garota com seios espremidos.

A autoconfiança que ela trabalhara tanto para conquistar agora caía aos pedaços.

— O que elas disseram?

A voz fraca da garota foi quase afogada pelo barulho dos pés na passarela de pedestres acima. A secretária não esperava que a outra ficasse assim tão envergonhada; era como se visse uma ovelha se afogando na água, uma ovelha que poderia salvar com menos esforço do que o necessário para soprar um grão de areia. Sendo uma mulher casada, ela sabia muitas coisas que a garota não conhecia mas ansiava por conhecer. No dia anterior, ela contara à menina o prazer de sentir a língua de um homem correndo por seu abdome. Quando tocou no assunto dos seios da jovem alguns minutos antes, ela sentiu uma umidade se espalhando entre suas coxas.

A secretária arriscou uma pergunta:

— Você passou cremes estrangeiros ou injetou alguma coisa neles? — Ela examinava invejosamente a pele viçosa da jovem, tão rosada quanto sua própria pele antes do casamento, e sentia o quanto a outra estava desconfortável e quão rápido batia seu coração.

A garota pareceu envelhecer dez anos em apenas alguns segundos, e seu corpo inteiro pareceu se retrair.

— Nunca, nunca — protestou ela. — Jamais usei injeções, nem qualquer creme estrangeiro.

— Foi o que imaginei — continuou a mulher casada. — Então, talvez a Presidente Fan esteja certa.

— O que ela disse? — Pela primeira vez na vida, a garota era forçada a debater sobre seus seios em público.

— Aquela velha virgem é ardilosa — disse a secretária, olhando para trás para se certificar de que ninguém estava ouvindo. As duas estavam quase chegando no ponto de ônibus. — Ela disse que você fez seus seios crescerem deixando que os homens os apertassem. Na verdade, a princípio, foi o que pensei também.

O rosto da garota tornou a ficar vermelho.

— É claro que alguém deve ter dito a você! — A secretária riu. — Quanto mais os homens apertam os seios, maiores eles ficam.

— Nunca deixei nenhum homem me bolinar! — A garganta da garota ficou seca. — Eles sempre foram grandes desse jeito, desde que eu tinha 14 anos. — Agora seu rubor se espalhava pelas orelhas e pelo pescoço.

— Não há razão para sentir vergonha. — Embora a secretária sentisse compaixão pela nova amiga, ela ainda estudava seu rosto, buscando uma mentira.

— Mas é verdade! — A cabeça da garota descaiu em desespero. Ela queria se libertar dessa situação humilhante. — Você ainda não acredita em mim, não é?

Elas aceleraram o passo sem trocar olhares, e a ternura nascida entre as duas ao longo das últimas semanas se desfez. Quando chegaram à parada de ônibus, a garota entrou na fila na divisória de passageiros enquanto a secretária parava do lado de fora. Nos dias anteriores, a secretária sempre esperava que a garota pegasse o ônibus antes de continuar a caminhada para casa.

— Não leve isso tão a sério! E daí se falam de você? Elas só estão com inveja porque têm peitos retos. — Embora os seios da secretária fossem um pouco caídos, ela ainda se qualificava como uma "mulher com seios".

— Eu nunca tomei injeção ou pílulas. — Uma ruga profunda se desenhara na testa lisa da jovem.

— Os tempos mudaram. Aquelas velhas matronas ficaram para trás. Elas só têm inveja de você, só isso. Você só tem 20 anos. E daí se você deixou algum garoto aumentar seus seios com uns amassos? — A secretária lançou os olhos para os amplos seios da jovem. Ela suspeitava de que eles haviam incitado muitos eventos ilícitos. Olhar para eles lhe trazia à memória certos episódios de seu passado e o prazer que ela sentia quando o marido lhe bolinava os seios. — Assim que chegam perto de nós, os homens querem passar a mão. Mas eu só deixo que meu marido chupe os meus antes de irmos dormir. — A secretária não pôde deixar de revelar alguns outros detalhes de sua vida privada. Notando que a jovem ainda franzia o cenho, ela olhou na direção de onde o ônibus deveria aparecer e o amaldiçoou por demorar tanto.

— Por que elas têm que falar de mim? — A voz da garota ainda era fraca. Nada que a secretária dissesse poderia consolá-la agora. — Eu nasci desse jeito — murmurava ela em voz baixa.

A secretária sorriu para ela e respondeu:

— Não dê bola nenhuma para elas. Aquelas mulheres passaram da flor da idade. Eu compreendo você. Eu não ficaria chocada se você me dissesse que usa um sutiã com enchimento. Não há nada de errado com seios grandes. Aquelas mulheres ainda seriam como tábuas mesmo se usassem dez sutiãs com enchimentos.

— Eu nunca usei um sutiã com enchimento na vida — soluçou a garota.

A secretária não acreditou nem por um segundo.

— Você não deve deixar que eles fiquem tão grandes, as pessoas vão notar. Mulheres de seios grandes como nós não precisam usar sutiãs com enchimento.

O ônibus finalmente chegou, e a garota foi levada para dentro pela multidão em movimento. Ela tinha a sensação de ter a garganta sufocada com algodão. A jovem levou seus dois seios enormes de volta para casa e, assim que abriu a porta da frente, correu para a cama e se desfez em lágrimas.

— Que o espelho seja o juiz — murmurou ela para si mesma quando se colocou diante do espelho retangular. Pela primeira vez na vida, ela olhou longamente para os dois grandes montes de carne tesa, cada um coroado com um morango seco. A verdade era que nenhum homem tinha colocado as mãos neles. Aos 14 anos, quando os seios começaram a crescer, ela sentira um pouco de dor. Na universidade, eles lhe deram um sentimento de orgulho. Quando ela caminhava pela rua e seus seios saltitavam para cima e para baixo, ela ficava tão irritada quanto satisfeita. Nos livros, a garota descobriu que seu tipo de seio indicava uma boa esposa e uma mãe capaz — exatamente o tipo de mulher que ela desejava ser. Em seus sonhos, ela dava à luz centenas de crianças e depois se colocava entre elas, distribuindo maçãs. Ela vestia as crianças com lindas roupas cor-de-rosa e as alimentava com os infinitos córregos de leite que fluíam de seus mamilos. Seus seios podiam alimentar uma multidão de crianças e dar alegria e prazer aos homens. Mas hoje esses sonhos estavam despedaçados. Aos olhos dos outros, ela era uma fraude, uma garota que tentava atrair homens com seios falsos; todos achavam que tinham desvendado suas estratégias. Todo mundo chegara àquela mesma conclusão, até mesmo o rapaz do escritório que devorava livros o dia inteiro em preparação para os exames de pós-graduação.

— Que o espelho seja o juiz. — Ela mantinha a voz baixa, pois atrás da cortina toda a sua família estava jantando. Sua cama ficava num canto separado do resto da sala por uma cortina. A jovem passou a noite inteira acordada. Na manhã seguinte, engoliu algumas pílulas para dormir e tirou folga do trabalho.

(Enquanto o doador de sangue debate a história dela, o escritor profissional é subitamente lembrado da atriz que pulou na boca do tigre. Ele pergunta:

— Você acha que essa garota também estava tentando escapar deste mundo?

— Não — responde o doador de sangue. — Ela era muito jovem. Ainda não tinha nada do que escapar. Ela desmoronou, não por pressão externa, mas por causa de sua própria fraqueza. Se todos fôssemos fracos como ela, já teríamos enlouquecido há séculos. Ela só correu pelada pela rua uma vez. Não foi grande coisa.

— Talvez simplesmente não valha a pena escrever a história dela — suspira o escritor, exaurido.

— Você se engana em pensar que toda história tem que estar associada à morte. O problema não é a morte, mas a vida, e a vida é apenas um ato de resistência; é preciso trincar os dentes e encará-la. Exatamente como eu faço. Eu aguento tudo que a vida joga em cima de mim. Sofri muito mais do que você jamais imaginaria em sua existência tranquila.

A imagem dos grandes seios da garota ainda cruza a mente do escritor. Os dois mamilos cor de passas o encaram convidativamente. Se a garota tivesse percebido que já não é possível distinguir o real do falso neste mundo, talvez não utilizasse pílulas para dormir com tanta frequência.)

Quando descobriu que ela estava tomando pílulas todas as noites e que sua saúde estava seriamente deteriorada, a família não teve escolha a não ser levá-la para o hospital. A secretária e a Presidente Fan levaram flores, seu contracheque, um sabonete e um par de luvas de seda para ela. A jovem permaneceu deitada calmamente no leito hospitalar, fitando inexpressivamente as paredes brancas. Alguns dias depois, ela voltou para casa, tirou toda a roupa e correu pelada pelas ruas. Devastada pela vergonha, sua família deixou a cidade e fixou residência num sítio nos subúrbios. Mas seu passado a alcançou, e seus pais foram forçados a mandá-la viver em sua antiga vila. Ela se casou com um camponês alguns anos depois, mas, quando soube de sua reputação, ele se tornou violento e passou a espancá-la com frequência, quase até a morte.

A Presidente Fan ainda não estava aposentada então. Depois que a garota dos seios grandes se demitiu do trabalho devido a problemas de saúde, a secretária assumiu sua mesa. Os dois cactos no parapeito da janela ficaram tão altos que tiveram que ser levados para o corredor.

O abandonador *ou* A abandonada

As conversas entre o escritor e o doador de sangue nunca levam a lugar algum. Em vez de continuar uma discussão, geralmente eles resolvem deixá-la pairando no ar. Contudo, é interessante notar que o doador de sangue parece ter ganhado a dianteira durante a conversa desta noite. Por natureza, o doador de sangue busca o lucro, acreditando que as pessoas deveriam usar todos os meios possíveis para conseguir o que precisam deste mundo pérfido. O escritor é um idealista, mas, quando confrontado com a realidade e com os próprios fracassos, supera sua decepção adotando um ar de indiferença. É um aleijado que pode pensar, mas não se mover. Em seu cérebro subnutrido, ele costura as histórias do livro que sabe que jamais escreverá.

Ela emergiu do meio das pernas de sua mãe apenas um mês antes do lançamento da Política do Filho Único.

(Em sua mente, o escritor profissional vê o pai carregando a filha retardada pela rua com uma expressão furtiva nos olhos. A boca descaída e as faces cavadas do pai denunciam seu desespero. A garotinha em seus braços parece calma, mas ligeiramente perturbada. Esses dois sempre parecem estar indo a algum lugar.)

Por ser do tipo sanguíneo A e nascido no Ano do Touro, o pai era tão teimoso quanto tímido. Quando ele tinha 20 anos, uma velha corcunda leu as linhas de sua mão numa loja de cereais e disse que ele nunca teria um filho. Depois que ele se casou, sua esposa produziu uma filha com graves deficiências e, cinco anos depois, uma segunda filha, normal. O pai então pagou 6 yuans para que um aleijado chamado Zeng lesse seu destino novamente. Zeng predisse que, aos 48 anos, ele teria uma terceira filha; aos 49, ele seria promovido a um posto superior (agora era um contador de nível intermediário na diretoria da Tesouraria Municipal); aos 50, um cavalheiro viria do sudoeste e lhe traria boa sorte (ele então investigou todos os amigos e parentes que viviam no sudoeste, e descobriu que tinha um tio que era ex-general do Kuomintang e que agora vivia com uma força de guerrilha em Mianmar, embora fizesse mais de 30 anos que a família não ouvia falar dele); aos 57, sua mãe faleceria e sua esposa morreria de uma doença no pulmão; aos 60, ele conheceria uma viúva com tipo sanguíneo A nascida no Ano do Carneiro, e ela se casaria com ele e lhe daria uma quarta filha. A morte estava destinada a abatê-lo aos 63 anos. Certa vez ele perguntou ao Aleijado Zeng se havia alguma forma de prolongar seu tempo de vida em alguns anos — só mais dois já seria o bastante —, mas o adivinho insistiu que era impossível alterar o curso do destino.

Na verdade, o pai estava mais preocupado com a falta de um filho para perpetuar o nome da família do que com a brevidade de sua própria vida. Ele afastou da mente o pensamento sobre a viúva e concentrou toda a atenção em produzir um filho. Já que sua primeira filha nascera deficiente, a unidade de trabalho da esposa abriu uma exceção à Política do Filho Único e lhe deu uma cota de dois filhos, mas certamente jamais permitiriam que ela tentasse um terceiro. A única maneira de obter outra autorização de gravidez para a mulher seria se uma de suas filhas por acaso desaparecesse. Se não fosse pelas regras de planejamento familiar, o casal seria livre para conceber um filho atrás do outro até ter um menino, mas, do jeito que estavam as coisas, o contador concluiu que sua única esperança era se livrar da filha retardada.

Assim, o pai embarcou numa batalha contra o destino. Quando a filha retardada completou 7 anos, ele a pegou nos braços, levou-a para um parque público e tentou, sem sucesso, abandoná-la num banco. Após três novas tentativas frustradas, ele tirou um dia de folga para tentar terminar a tarefa apropriadamente. Seu futuro dependia de dar um sumiço na menina. Ele só poderia tentar um filho outra vez se a filha desaparecesse. Os adivinhos não mencionaram que sua primeira filha nasceria retardada, nem que o governo estava planejando instaurar a Política do Filho Único. Se soubesse naquela época como o futuro se desenrolaria, ele teria dito à esposa para fazer um aborto no momento em que ela descobriu que estava grávida.

A filha mais velha era semelhante à maioria das crianças do mundo que partilham da mesma deficiência. Tinha uma pequena cabeça chata coberta por cabelos finos como penugem, uma testa ampla e enrugada, olhos como girinos profundamente metidos em pálpebras amareladas, nariz chato e narinas largas que se expandiam a cada inspiração. A boca estava sempre aberta. Saliva e restos de comida caíam dela, escorriam pelo pequeno queixo e se acumulavam nas dobras do pescoço grosso. Sua existência só causava problemas ao pai.

Durante seus 7 anos de vida, a menina adquiriu algumas habilidades. Por exemplo, ela sabia gritar quando sentia necessidade de ir ao banheiro e aprendeu a nunca recusar qualquer comida e remédio. Mas nunca perdeu o medo de ser tirada da abafada sala da família e levada para a rua. Sempre que seu pai a pegava nos braços e a levava para um lugar onde um pedaço de céu era visível, ela ficava com os cabelos em pé e as mandíbulas se trincavam tanto que era impossível abri-las. Ela já havia passado uma semana inteira sozinha num bosque, uma noite num banco de pedra, seis dias num orfanato no campo e 48 horas num trem rumo à capital. Pouco antes de cada uma dessas experiências infelizes, a menina perdia o pai de vista e se via sozinha de repente. Entretanto, no fim das contas, ela sempre conseguia ser resgatada do perigo e devolvida em segurança para a sala escura que cheirava a lama e couve azeda.

No começo de cada viagem, o pai não sabia se teria sucesso em abandoná-la, mas ele estava decidido a continuar a guerra contra o destino. Em nome de seu futuro filho, em nome da fertilização exitosa do próximo óvulo de sua mulher, ele prosseguia com o plano, dizendo a si mesmo que só cuidava da filha porque estava aguardando uma oportunidade de se livrar dela. Para a menina, cada viagem que faziam juntos no mundo exterior era uma oportunidade de provar a resistência de sua força vital.

Embora tivesse entrado no Partido em 1958 e trabalhado com responsabilidade durante os trinta anos seguintes, o pai ainda era um contador de nível intermediário. Na Revolução Cultural, ele participou de uma célula política que não conseguiu acompanhar os tempos de mudanças e foi derrotada por uma célula rival. Terminou casado com uma ativista da célula que desmantelou a sua e fez amor com a esposa em seu dormitório enquanto uma chuva de balas cruzava o céu do lado de fora. Nenhum deles tinha muito conhecimento de assuntos sexuais, além do pouco que aprenderam com vários palavrões, então a esposa não engravidou até o segundo ano de casamento. O médico disse que os defeitos da criança foram causados por excessiva atividade sexual durante a gravidez.

Quando chegou aos 50, o pai resolveu concentrar mais energias na tarefa de abandonar a filha mais velha. Ele começou a trabalhar com menos afinco. Os adivinhos lhe disseram que, considerando seu ano de nascimento, ele só teria sucesso em se livrar da filha se fosse certo que alguém a levaria para casa e cuidaria dela. Assim, ele nunca abandonava a filha quando achava que ela corria algum risco de passar fome até a morte ou de sofrer algum dano. Seu fracasso em abandoná-la estava claramente ligado ao ano em que ele tinha nascido. O pai se convenceu de que já estaria segurando um menino nos braços se tivesse nascido no Ano do Tigre ou da Galinha.

Certa manhã, o pai deixou a filha sozinha num campo aberto nos limites da cidade. Ele se escondeu atrás de um arbusto a distância e a observou por todo um dia. Quando o sol se punha a oeste, ele perdeu a esperança de ver alguém surgindo para resgatá-la e, assim, fraco de fome, correu para a menina, pegou-a nos braços e levou-a para casa. O pai sofrera uma série de tribulações por causa dela. Um dia, ele leu um artigo sobre um orfanato numa cidade vizinha. Tirou um dia de folga, viajou para a cidade e depositou a filha no balcão de recepção do orfanato, alegando que a encontrara na rua. A diretora do orfanato disse que a criança não era necessariamente órfã e que teria que ser entregue ao escritório de segurança pública. Em pânico, o pai explicou que queria fazer uma boa ação e imitar Lei Feng, mas não podia fazer mais que isso porque tinha um trem para pegar. Assim, a diretora concordou em levar a criança para o escritório de segurança pública pessoalmente. No dia seguinte, enquanto ele olhava pela janela de sua mesa, a polícia da cidade vizinha telefonou e lhe pediu que buscasse a filha na delegacia. Ele então tirou mais um dia de folga, para grande preocupação de seu chefe, já que isso significaria faltar à reunião semanal do Partido no departamento. Naquela tarde, ele se despediu da esposa e da filha mais nova, que agora tinha 2 anos, e partiu numa viagem para trazer a filha mais velha de volta para casa.

(— Você vive em seu pequeno universo — diz o doador de sangue ao escritor. — Vive atolado em sua mente e nesse seu apartamento que parece um ovo. Estamos ficando cada dia mais afastados.

— O que quer dizer?

— Temos valores diferentes. Eu me entreguei à realidade e tive sucesso na vida. Você faz esse espetáculo de arrogância, mas é um fracasso, sobrevive dos restos descartados deste mundo.)

Antes de abandonar a filha mais velha, o pai sempre lhe dava uma pílula para dormir, temendo que ela sufocasse nas próprias lágrimas se ficasse acordada, ou que seus gritos atraíssem uma matilha de lobos. Já que ela passava tanto tempo ao relento, ele até comprou uma capa plástica para protegê-la da chuva.

A esposa era uma típica mulher chinesa. A cada vez que ele partia em viagem com a filha nos braços, ela sempre o levava até a porta com os olhos cheios de lágrimas. Apesar dos repetidos fracassos, ela sempre conseguia chorar a cada vez que se despedia dele. A mulher dava total apoio ao curso de ação que o marido decidira tomar. No passado, ela mesma havia utilizado um intermediário para organizar a venda de sua filha mais velha para um casal infértil, mas, infelizmente, quando eles descobriram que a criança era retardada, trouxeram-na de volta e exigiram um reembolso.

A menina retardada foi submetida a um infindável curso de provações e traumas, mas sempre conseguiu escapar com vida. Antes de dar seu primeiro passo, ela sobreviveu a dois acidentes de carro e à queda de uma janela no terceiro andar. Mais tarde, ela caía de sua cama no chão de cimento quase todas as noites. Os vizinhos diziam que somente uma criança abençoada podia sobreviver a tantos acidentes, e prediziam que ela traria boa sorte e prosperidade à família. Assim, por um ano inteiro, o pai desistiu das tentativas de abandoná-la e esperou que sua sorte mudasse. Contudo, nada aconteceu, e o pai se convenceu mais uma vez de que o futuro que o Aleijado Zeng previra estava escrito nas estrelas. O fim iminente de sua linhagem familiar pesava muito sobre sua cabeça. O pai sabia que, se a esposa excedesse a cota de dois filhos, ele perderia tudo que trabalhara tanto para conquistar: o emprego no governo, a carteira de membro do Partido, a sala, o salário. A continuidade da presença da filha mais velha na família ameaçava cada aspecto de sua existência.

No fim, ele decidiu tirar uma aposentadoria precoce e concentrar todas as horas de seu dia à missão de abandonar a filha. Contudo, a cada vez que tentava se livrar da menina, ele sentia que seu apego por ela ficava cada vez mais profundo. Antes, ele esperava que ela cooperasse e desaparecesse tranquilamente de sua vida para deixar que ele tentasse um filho novamente. Mas, à medida que essa esperança diminuía, ela se tornava seu consolo e apoio. Embora o pai lhe causasse dor, ela era a única pessoa no mundo que podia perdoá-lo.

Com o passar do tempo, a menina se tornou a amiga mais próxima do pai. Ele já não podia evitar abrir o coração para ela, falando sobre seus problemas conjugais, suas preocupações com as questões mundiais e a mágoa que sentia por toda a dor que ela lhe causara. Sabendo que ela não podia dizer nada em resposta, ele se sentia livre para usar o linguajar mais chulo em sua presença. Quando percebeu a futilidade de seus esforços, o pai gradativamente perdeu o controle de seus pensamentos. A cada vez que tentava abandoná-la, ele sentia como se, na verdade, estivesse abandonando a si mesmo e o futuro que lhe fora destinado. Mas, ainda assim, estava decidido a seguir tentando.

Às vezes, o pai sentia que era a filha quem o arrastava pela cidade, e não o contrário. Antes de cada tentativa de abandoná-la, ele parecia ouvir a menina dizer: "Eu consinto em ser abandonada. Ao longo dos anos, adquiri minha própria identidade, e com suas dificuldades comigo, você aprendeu algumas lições sobre a vida. Um pai pode enganar a filha retardada, mas uma filha retardada também pode enganar o pai. Eu dei um padrão à sua vida, um ritmo. Você precisa entender que essa missão acabará por destruí-lo. Eu lhe mostrei características suas que você preferia não conhecer. Num mundo descontrolado, só as pessoas retardadas podem encontrar a felicidade. Eu não partilho de qualquer de seus compromissos ou responsabilidades. Não dou a mínima para o passado ou o futuro, ou se o seu esperma encontrará outro óvulo um dia. Sequer sei se realmente existo. Se você fosse retardado, compreenderia o que estou dizendo. Eu gostaria que você abandonasse essa sua missão fútil. Você fez o melhor que pôde para todos. Não me decepcionou e nem se decepcionou. Não há mais nada que possa fazer."

Concentradas nas mudanças trazidas pela Política de Portas Abertas, as pessoas começaram a falar menos sobre esse pai e essa filha que passaram as vidas se separando e se reunindo. Mas todos sabiam quem eles eram; de vez em quando viam um homem com colarinho e punhos recém-lavados (numa olhada dava para ver que era um funcionário público) emergindo de trás do museu municipal, segurando uma criança retardada nos braços. Ele cruzava a passarela de pedestres e depois atravessava o novo distrito urbano, não em direção ao parque à beira-mar, mas aos campos abertos que ficavam além. Quando chegava a seu destino, ele colocava a criança na beira da estrada e depois agachava-se atrás de uma árvore a mais ou menos 10 metros de distância. Os transeuntes notavam que as rugas de seu rosto pareciam sumir quando ele estava agachado ali. Mas, assim que alguém se aproximava e colocava as mãos em sua "propriedade perdida", ele dava um salto, corria para perto e apanhava a filha nos braços. Nesta cidade, ele se tornou o único protetor da menina retardada.

O que acontecerá comigo amanhã?, pergunta o escritor profissional. *Talvez eu trombe com aqueles dois na rua e veja a expressão de desespero nos olhos do pai.* A mente do escritor se volta para a silenciosa garçonete de cabelos longos que trabalha no restaurante de massas onde ele costuma comer mingau de arroz. Ele gosta de olhar para ela. A garçonete está transbordando de vida, mas tem um comportamento reservado e pacífico. Ele se pergunta como poderia inseri-la também em seu romance.

O cão tranquilo *ou* A testemunha

Seu latido muitas vezes me acordava de meu sono. Soava diferente do latido que ele usava durante nossas conversas: era o latido de um cão. Nos dois meses passados após sua morte, seu latido continuou a me acordar. Jamais me recuperarei do fato de que não estava a seu lado quando ele morreu.

(O escritor profissional acende o isqueiro e se lembra do dia em que almoçou com o pintor na cafeteria do museu municipal. O pintor o encarou e perguntou:

— Você acha que meu cachorro vai reencarnar? Como pode ser que ele falasse como nós? Nunca contei a verdade sobre meu cão a ninguém, nem mesmo à minha namorada. Vou lhe contar agora, mas talvez você não acredite.)

Não vi como ele estava quando morreu. Ao voltar da minha viagem de conferência, ele já estava sendo transformado numa peça de museu. O secretário Wang, diretor do museu, nunca me contou a história por trás de sua morte, apenas enviou um oficial ao meu quarto para me criticar por criar um cachorro em segredo. As crianças do andar de baixo me disseram que tinham visto o cão sendo espancado até a morte pelo velho carpinteiro que vive no quarto andar e até me levaram à suposta cena do crime. Elas apontaram para uma mancha de sujeira no chão de concreto e alegaram que era o sangue do cachorro. Examinei a mancha cuidadosamente e descobri que se tratava, na verdade, de uma mancha de tinta deixada pelos decoradores alguns anos antes. Portanto, não insisti com o velho carpinteiro sobre o assunto. Um dia, o secretário Wang viu uma foto que tirei do cachorro e disse:

— Bem, se você não queria que isso acontecesse, não deveria ter deixado seu cachorro mijar no elevador.

Fui direto ao assunto e perguntei se o velho carpinteiro era o responsável pela morte do meu cão. O secretário Wang olhou para a porta e respondeu:

— Aquele segurança não lhe fez uma visita, afinal? Ele ficou furioso ao saber que você estava criando um cachorro.

Quando tornei a perguntar como o cão morreu, o Secretário Wang pareceu se transformar numa traça. Seus olhos se tornaram cada vez menores e depois ele virou as costas para mim e escapuliu pela porta aberta. Vi que sua bunda não era mais limpa que nenhuma outra que vejo nos banheiros públicos. Quando voltei de minha viagem de conferência, a casinha estava vazia e não havia cheiro de urina no terraço. O pedaço de pano que cortei da colcha de minha cama ainda estava jogado na cesta dele, mas agora estava infestado de formigas. Quando olhei para baixo, as formigas ergueram a cabeça para mim e depois continuaram a correr pela floresta de fios de lã, tão rápido quanto as pessoas nas ruas lá embaixo.

Eu me afastei da casinha e comecei a procurar qualquer sinal da presença do cão no terraço, que é enorme. Tantas chaminés se projetam dele que parece uma floresta de árvores mortas, ou um campo de lápides. Algumas chaminés têm mais de 50 anos e formato de cruz. Meu quarto fica na extremidade do terraço da torre alta do relógio. Ele tem uma pequena janela que dá vista para as ruas abaixo. Antes de minha namorada cometer suicídio, ela sempre vinha me visitar e reclamava que o terraço era como um cemitério e a torre do relógio era como a casa do coveiro. Ela odiava todas as chaminés que perfuravam o teto, pois vivia tropeçando nelas. Contudo, meu cão saltara alegremente pelo terraço por mais de dois anos sem reclamar nem uma vez, e ele só tinha três pernas.

O relógio já não bate mais as horas. Durante a Revolução Cultural, uma facção maoísta chamada "Exército de Milhões" tomou o controle da torre e removeu algumas partes do relógio para fazer armas para uso em suas batalhas contra a facção maoísta rival, "A Expulsão da Brigada das Facções Inimigas". No passado, os policiais de toda a cidade costumavam marcar seus turnos por esse relógio. Dá para ver o mostrador de qualquer estrada da cidade. Da mesma maneira, posso ver toda a cidade de meu terraço, inclusive o novo distrito urbano junto ao mar. Quando me levanto pela manhã e saio para o terraço, posso ver meus antigos colegas de classe e outras pessoas se espremendo em ônibus ou tomando café da manhã em barracas de rua. De suas janelas, aqueles que já chegaram ao trabalho e estão presos numa reunião política piscam para mim. Quando terminam o trabalho, eu grito para eles e todos gritam de volta. É mais fácil que usar o telefone.

Meu cachorro nasceu lá em cima.

(Isso era obviamente impossível, o escritor pensa consigo. Para começo de conversa, cadela alguma jamais colocou a pata naquele terraço. A verdade é que o cachorro do pintor nasceu nos subúrbios, num pátio do lado de fora de um crematório particular. Só ali os cães podiam produzir filhotes tão semelhantes aos seres humanos. O pátio era assombrado pelos espíritos dos mortos. As cadelas ficavam com pena de alguns e permitiam que eles reencarnassem em seus filhotes.)

Quando vi que ele só tinha três pernas, fui tomado de pena e decidi pegá-lo para cuidar. Ele não tinha firmeza nos pés. Quando o cão estava de pé, às vezes eu passava a perna em sua pata da frente e ele tombava no chão. Após alguns meses, ele aprendeu que tinha menos chance de cair se abrisse as pernas numa posição de tripé. Quando tentei derrubá-lo mais uma vez, ele torceu os lábios e disse:

— Não perca seu tempo, meu amigo. — Fiquei tão pasmo por ver o cachorro falando que tive vontade de sair correndo. Mas, antes que eu tivesse chance de me mexer, ele suspirou: — Só estou dizendo para me dar um tempo.

— Você é realmente um cachorro? — perguntei.

— Bem, o que você é?

— Um homem, claro.

— Certo, então eu sou um cachorro. Mas devo ter sido um homem na minha vida passada, senão, como eu poderia falar sua língua?

— Que homem você acha que foi?

— Vá procurar no registro municipal de óbitos, se está tão interessado. Por que eu deveria lhe dizer? Uma coisa que vou lhe dizer é que eu vivi nesta cidade por mais de 100 anos. Entretanto, jamais imaginei que voltaria desta vez como um cachorro de três pernas. Que piada!

— Quem você foi em sua vida passada? — repeti, meu corpo tremendo como uma folha.

— Não tenho certeza. Não há como saber. Tudo que realmente sei é que não quero voltar como um ser humano na próxima vida. Não me importo em ser cachorro, só é uma pena que me falte uma perna.

Nós nos demos bem juntos. Assim que eu terminava meu trabalho no museu, subia correndo até o terraço e via o cachorro esperando por mim do lado de fora de sua casinha. Eu saltava pelo labirinto de chaminés, destrancava minha porta e deixava que ele entrasse no quarto. Eu pintava por algumas horas e depois nós íamos para a cama para ler livros e discutir vários assuntos do dia. Ele leu quase todos os livros em meu quarto, fora os volumes da prateleira mais alta. Eu o proibi de tocar aqueles livros porque tinha medo de que sua mente fosse corrompida pelo conteúdo, e, além do mais, eu não podia tolerar a ideia de que o cão me ultrapassasse intelectualmente. Também insisti que ele verificasse se a porta de nosso terraço estava trancada antes de levantar a voz ou latir. Três funcionários do museu, incluindo o velho carpinteiro e seu filho encanador, pertenciam à brigada de extermínio de cães. Se ficassem sabendo que havia um cachorro em meu terraço, eles teriam autoridade para vasculhar minha torre e comer qualquer cachorro que encontrassem. Eles sempre comiam os cães que matavam — seus superiores só exigiam que eles entregassem a cabeça do animal.

Trabalho como ilustrador para a seção de história natural do museu municipal. Minha tarefa é fazer esboços de todos os animais empalhados que são exibidos no museu. O trabalho é muito melhor que os serviços de todos os meus colegas de classe, e por isso me considero muito sortudo. Depois que o Sobrevivente foi morar comigo (esse foi o nome que o cão escolheu para si), eu temia que ele colocasse minha carreira em risco. Assim, para me proteger, comecei a trabalhar com mais afinco e aumentei meus esforços para ingressar no Partido. Mas, no fim das contas, o cachorro morreu e tudo que sobrevive dele agora é sua bela pele.

(O escritor recorda a expressão vaga no rosto do pintor quando ele recontou essa história na cafeteria. Era impossível saber se ele estava falando a verdade ou não. Talvez o Sobrevivente fosse apenas uma extensão do próprio pintor. Quando o escritor perguntou se ele realmente acreditava que o cão tinha vivido naquele terraço, o pintor resmungou com impaciência e disse:

— A casinha dele ainda está lá. Você viu com seus olhos.)

Quando voltei da conferência, descobri que o cachorro fora tirado de meu terraço e colocado na oficina do museu. Fiquei sabendo que ele seria levado a Pequim no mês seguinte para fazer parte de uma feira nacional. Quando fiz uma primeira visita à oficina do carpinteiro, o pelo do cão parecia mais macio e brilhoso do que em vida. Seus olhos tristes foram substituídos por um par de bolas de vidro lustrosas. Suas orelhas costumavam ficar caídas, mas agora, secas, elas ficavam empertigadas. O carpinteiro enfiara tanto algodão no ventre que ele parecia uma cadela grávida. A seu redor havia pilhas de animais mortos a serem empalhados. Um leopardo com olho de vidro estava apoiado contra a parede, com os quatro membros ainda pregados à moldura de madeira; uma raposa estripada, esperando para ser colocada do lado de fora para secar ao sol, olhava tristemente pela janela. O Sobrevivente parecia muito vivo, se comparado aos faisões, águias-de-cabeça-branca e jiboias dilacerados a seu lado. Contudo, independentemente do quanto eu tentasse, jamais consegui associar o Sobrevivente morto ao cão que conheci outrora.

Meu terraço é enorme. Quando nos colocamos na beira, podemos ver toda a cidade se abrindo abaixo. O Sobrevivente conseguia espionar cada casa de cada rua. Ao longo de dois anos, ele jamais deixou o telhado, nem mesmo uma vez; ou seja, passou toda a vida suspenso no ar. Ele mantinha distância do resto da humanidade e se recusava a entrar em seu mundo. Enquanto três mil cães pereciam nas mãos da brigada de extermínio da cidade, ele conseguiu sobreviver lá em cima por dois anos, graças a mim e à distância que ele mantinha das pessoas. Ele sempre via seus colegas caninos sendo perseguidos e espancados pelas autoridades, e ficava perturbado. Mas admito que me senti tentado a entregá-lo à polícia em sete ocasiões, pois eu sabia que isso aumentaria minhas chances de me filiar ao Partido. Às vezes eu sentia que estava trazendo a desgraça para o Partido por cuidar do cachorro. Ele sempre proclamava ideias reacionárias que mais tarde perturbavam minha mente durante as aulas de estudos políticos do trabalho.

O cão amadureceu muito em seus dois anos comigo, e aprendeu certas frases de efeito elegantes. Ele desenvolveu uma profunda compreensão de todas as coisas que aconteceram e que ainda estavam por acontecer. Seu lustroso pelo preto e as orelhas caídas lhe davam a aparência de um advogado estrangeiro. Sua cabeça estranhamente pelada e os longos bigodes cinza aumentavam seu ar de sábio ancião. Secretamente, ele se via como mensageiro e profeta divino. Era otimista quanto à implementação da Política de Portas Abertas na China, e concordava com a opinião das autoridades de que a exibição de nus artísticos não estava em consonância com a atmosfera social de nosso país. Quando o Comitê Central anunciou que daria a uma mulher chinesa o consentimento direto para se casar com um cidadão francês, o cão elogiou sua coragem. Ele argumentava que o sistema de responsabilidade* poderia salvar o socialismo e aplaudia as ações do governo para encorajar investimentos de empresas estrangeiras em nosso país. Eu lhe perguntei se tal política não seria o mesmo que permitir que capitalistas

---

*Sistema de responsabilidade doméstica: reforma agrícola adotada em 1981 na República Popular da China na qual o produtor tinha determinada cota de produção a cumprir e recebia recompensas pelo excedente, mas as recompensas raramente valiam o esforço de produção; no sistema de responsabilidade doméstica, o produtor pode conservar o excedente e vendê-lo no mercado livre, o que resultou em amplo desenvolvimento econômico. (*N. da T.*)

estrangeiros tomassem conta da economia da China, mas ele apenas riu friamente de mim. Admito que me afeiçoei muito a ele. Todos os dias eu trazia coisas deliciosas para ele comer e beber. Eu perdia horas de sono, temendo que um dia a polícia o encontrasse e o levasse embora. Meu apego a ele era tão grande que consegui assistir a todo o espetáculo do suicídio de minha namorada sem derramar uma lágrima.

Nossas conversas eram fascinantes. Ele me contava histórias de lendas gregas e fábulas da Bíblia. Seus tópicos variavam do mundo antigo ao moderno, da China ao Ocidente. Sua imaginação era ilimitada. Era muito prazeroso ver a noite cair em sua companhia. Alguns dias antes de testemunharmos o estupro coletivo que aconteceu na rua abaixo, eu lhe perguntei que mudanças os cachorros fariam se fossem colocados no controle desta cidade. Ele respondeu:

— Primeiro de tudo, eliminaríamos a brigada de extermínio de cães. Não somos culpados pela raiva, somos apenas os inocentes portadores do vírus. Os cães desta cidade receberiam os mesmos privilégios de que desfrutam os cães de países estrangeiros: ganhariam coleiras de couro verdadeiro e casacos caninos de lã bem quente. Nós encorajaríamos o ser humano a seguir nosso exemplo e restringir seu acasalamento a determinadas estações, de modo a melhorar a qualidade de sua espécie. Nós protegeríamos suas fronteiras e lhes daríamos liberdade para viajar e autonomia para criar partidos de oposição.

Suas orelhas caídas se sacudiram com satisfação, e ele continuou:

— Nosso governo canino mandará seus políticos e generais à zona rural para que produzam carne de alta qualidade para nós. Seus salários e status serão menores apenas que os nossos. Se eu fosse prefeito desta cidade, baniria todas as reuniões e sessões de estudos políticos e incitaria as pessoas a caminharem de quatro, com a mesma modéstia e discrição dos cães. Eu também acabaria com a prática de estrondear músicas de exercícios por toda a cidade a cada manhã, para que as pessoas pudessem se prolongar na cama se quisessem.

— E quais seriam nossos deveres na nova sociedade?

— Servir aos cães — respondeu ele. — Vocês simplesmente teriam que trocar seu lema, de "Servir ao Povo" para "Servir aos Cães". Sua maior responsabilidade será fornecer comida e bebida para nós. Não lhes causaremos nenhum mal, contanto que vocês não comecem a perder seu tempo com inúteis reuniões políticas. Lembre-se que o cachorro é o melhor amigo do homem, e o homem é o melhor parceiro do cão.

Alguns dias depois, enquanto víamos a garota sendo estuprada nas ruas abaixo, o cachorro voltou a essa conversa e disse:

— Mas, quando chegarmos ao poder, insistiremos num ponto: proibiremos todos os carros, caminhões e bicicletas na cidade, para assegurar que os cães tenham liberdade para cruzar as ruas quando queiram.

Naquele dia, o tráfego nas ruas abaixo estava hermeticamente bloqueado. No cruzamento, um grupo de rapazes forçava uma garota contra o chão e a estuprava repetidamente. Eles rasgaram todas as roupas de seu corpo e as atiraram no ar.

*

(— Estupros coletivos estão virando uma visão comum nas cidades e vilas da China — diz o doador de sangue ao amigo. — No ano passado, houve um estupro coletivo em Xangai que durou duas horas. O tráfego na rodovia Nanquim ficou parado. A multidão de espectadores era tão densa que a polícia ficou impossibilitada de alcançar a cena do crime. Quando a garota finalmente conseguiu se libertar, ela cambaleou para a torre de observação do guarda de trânsito e implorou por ajuda, mas o guarda se recusou a abrir a porta para ela. Os rapazes então a puxaram para baixo e começaram a estuprá-la mais uma vez. Eu li que a garota mais tarde sofreu um colapso nervoso. Depois que os estupradores finalmente foram presos, o líder foi levado a um estádio esportivo e executado por um pelotão de fuzilamento.)

A garota abaixo de nós finalmente conseguiu se livrar. Ela subiu para a torre de observação do guarda de trânsito para implorar por ajuda, mas o guarda se recusou a abrir a porta. Ele disse que só era responsável pelo tráfego. Antes que ela tivesse tempo de argumentar, um de seus algozes a puxou para baixo novamente e a pressionou contra o chão. Do terraço, ele parecia um brinquedo mecânico entrando e saindo do corpo dela. Seus parceiros ficavam de pé num círculo em volta, afastando os curiosos.

— Eles fizeram o tráfego parar — disse o Sobrevivente. — Quando os cães acasalam, nossos amigos não ficam em volta olhando desse jeito.

— Isso não deveria estar acontecendo! — berrava eu. — É uma desgraça!

Uma grande multidão se reuniu nas ruas. As pessoas olhavam das janelas dos prédios em volta. Uma massa de gente se reuniu na passarela de pedestres acima do cruzamento, muito embora ela ainda não estivesse aberta ao público. No empurra-empurra, algumas pessoas foram espremidas para a beirada e caíram no monte de gente abaixo. Toda hora dava para ver o sutiã da garota voando pelo ar e depois flutuando suavemente para o chão. Sua calcinha vermelha foi atirada tão alto que ficou presa na lâmpada da passarela. Dois jovens se desafiaram a puxar a calcinha para baixo. Quando eles começaram a escalar as pernas de cimento da passarela, a multidão irrompeu em aplausos. O mais magro chegou no alto primeiro. Ele agarrou a calcinha, beijou-a e depois atirou-a de volta à multidão. Um homem lá embaixo pegou a calcinha e a jogou no ar mais uma vez. Ela pairou sobre a multidão como uma pomba por mais ou menos um minuto, até cair mais uma vez entre a massa.

— Os seres humanos têm poderosos instintos de rebanho. Não impressiona que vocês tenham que ser controlados. Ficariam muito melhor vivendo juntos como formigas, antílopes e traças, em vez de enfiados em apartamentos separados.

— Não entendo essa gente — comentei. — Devem ter perdido a sanidade.

— Talvez outros animais sejam igualmente indiferentes ao sofrimento de sua própria espécie, mas duvido que qualquer um deles possa encontrar tantas maneiras de causar dor como os homens encontraram. A mim me parece que o homem é a fera mais vil de todas.

A essa altura, já fazia quase dois anos que o cão vivia no terraço.

— Veja a satisfação secreta das caras na multidão — disse ele. — Todos sabem o que está acontecendo, mas ninguém se prontifica a pôr um fim nisso. Agora você sabe o mal que vive por trás das caras inexpressivas que vê todos os dias na rua. Sempre que um poste de luz se apaga à noite, uma mulher certamente é estuprada. Veja todos esses homens aí embaixo. Em geral é difícil vê-los corando, mas agora sua excitação é tanta que suas caras estão escarlate. Posso sentir o cheiro do sangue correndo para seus genitais.

— Isso não é nada! — berrei. — Quando o presidente Mao veio congratular os Guardas Vermelhos na praça da Paz Celestial, as multidões ficaram muito mais excitadas que isso.

— O que havia de tão excitante em ver seu Presidente?

— Imagine só uma coisa: nós crescemos com a imagem de Mao colada em todas as paredes, livros, jornais e filmes. Ele era a única coisa em que as pessoas falavam. Portanto, é natural que nossa emoção nos causasse um frenesi quando finalmente pudemos vê-lo com nossos próprios olhos.

— Mas, no fim das contas, o Presidente Mao era apenas um ser humano como outro qualquer — disse o cão.

Eu contra-argumentei:

— Se não fosse por mim, não haveria você. Se não fosse pelo Presidente Mao, não haveria o presente. — As ideias reacionárias do cachorro estavam começando a me irritar.

— E o que há de tão bom no presente? — Ele contraiu a boca e apontou para a cena que se desenrolava abaixo. A moça fora jogada ao chão novamente e agora era agarrada por um mar de mãos. Sua voz se apagou e as lágrimas que molharam seus cabelos secaram. Um bando de jovens subira no teto de um ônibus estacionado para ter uma visão melhor. Os homens mais próximos da garota nua seguravam suas pernas contra o chão e chutavam uns aos outros enquanto lutavam para trepar nela.

— Tenho certeza de que esses brutamontes saíram de péssimos ambientes familiares — comentei.

— Para que serve a existência humana? — perguntou o cão pomposamente.

— Isso parece uma frase de um livro da minha prateleira mais alta! — retruquei. — Espero que você não ande lendo aqueles livros pelas minhas costas!

Um rubor se elevou à cara do cachorro e ele virou o rosto de vergonha. Ele passara toda a manhã deitado no canto mais ensolarado do terraço, a cabeça repousando sobre uma chaminé de metal, a perna dianteira (que crescia do meio de seu peito) esticada preguiçosamente à frente. Quando a brisa cálida soprou por seu pelo lustroso, um fio solto alçou voo e flutuou na direção da massa de gente abaixo. Por volta do meio-dia, a multidão ainda estava crescendo. Uma van de turismo ficou atolada atrás do ônibus parado, incapaz de recuar ou avançar. A garota agora estava fraca demais para continuar lutando. Quando os homens esparramados sobre a moça ouviram a sirene de uma viatura da polícia, ficaram de pé num salto e tentaram desaparecer entre a multidão, mas nenhum espaço se abria para eles. A garota fechou os braços sobre as coxas e o peito, como se tentasse se aquecer. Quando os estupradores finalmente conseguiram fugir, a multidão se fechou em torno dela. Centenas de mãos apertaram e bolinaram seu corpo. Ela caiu na estrada, tão fraca quanto um coelho moribundo, tremendo convulsivamente.

— Aquele jovem que acabou de sair correndo é o namorado da garota — disse o Sobrevivente.

— Como você sabe disso? — exclamei. O tema revolucionário "O brilhantismo do Presidente Mao ilumina o mundo" agora reverberava dos alto-falantes da passarela.

— No mês passado, vi os dois passeando juntos pela rua da Libertação. Eles continuaram até a Quinta Rua, e depois cortaram pela rua da Paz Leste até a rua da Paz Oeste. Nas primeiras horas da manhã, vi o casal emergindo do parque da Amizade.

— Se ele é namorado dela, como pôde trazer consigo três homens para estuprá-la?

— O ser humano possui um traço que nenhum cachorro tem.

— Qual?

— O ciúme — respondeu ele, coçando os bigodes. A horda de espectadores se tornava inquieta. As pessoas chegavam sem parar das ruas e dos becos vizinhos. Os policiais saíram do carro e enfrentaram a multidão. As pessoas que eles empurravam para fora do caminho logo encontravam novas lacunas para preencher. Uma melodiosa voz de tenor vibrou dos alto-falantes, cantando:

Nosso Adorado Partido foi como uma mãe para mim. Ensinou-me a amar o país e me encorajou a estudar. Um amanhã de alegrias me chama, convidando-me a avançar...

O barulho da orquestra e da sirene da polícia reverberava pelo ar sobre a multidão.

— Então você está insinuando que ela traiu o namorado?

— O ser humano deveria ser proibido de se apaixonar — comentou ele, com grande comoção.

Eu retruquei, tentando defender a raça humana:

— O que está acontecendo aí embaixo é só uma ocorrência isolada.

— Veja como vocês tratam uma namorada!

— Ela foi uma exceção.

O Sobrevivente sorriu. Quando ele sorria, seus olhos cintilavam e seus bigodes estremeciam para cima e para baixo.

Outro grupo de policiais em uniformes brancos abriu caminho pelas ruas. Ficou decidido que a cabine dos construtores na passarela seria convertida no QG temporário da unidade de dispersão de multidões. Quatro oficiais arrastaram um banco para a cabine, e a garçonete de um restaurante próximo entregou uma bandeja com xícaras de chá e uma garrafa térmica com água quente. Era um sinal de que os líderes da cidade estavam prestes a chegar. Dito e feito: alguns minutos depois, duas limusines com bandeiras vermelhas no capô chegaram do prédio do comitê municipal do Partido, e três carros pretos com vidros fumês apareceram do gabinete de segurança pública. Os veículos abriram um amplo caminho entre a multidão e estacionaram sob a passarela. Os oficiais saíram, trocaram apertos de mãos e apontaram jocosamente para os abdomes pronunciados dos colegas. Depois, eles subiram na passarela e, com grande pompa e circunstância, entraram na cabine para discutir como resolver a situação.

O cão lambeu a perna esticada e enroscou a língua em torno do ponto vermelho e inchado sobre as unhas. A mancha não tinha pelos. Parecia uma ferida, embora nenhum de nós soubesse explicar como ele se machucou. Tornando a apoiar a cabeça na chaminé de metal, ele disse sonolentamente:

— A polícia vai levar mais ou menos duas horas até finalmente chegar à garota. A essa altura, ela estará morta.

— Mas, veja, eles quase chegaram nela.

— Não, eles não estão avançando. Agora estão apenas parados, esperando que os líderes na cabine cheguem a uma decisão.

Olhei mais de perto e vi que os guardas realmente estavam parados. A multidão pareceu se acalmar um pouco, embora todos aparentassem desconforto por terem que ficar tão colados. Alguns homens tiraram cigarros dos bolsos e os ofereceram aos policiais. Depois eles fizeram circular os isqueiros e começaram a discutir o novo penteado de Tian Gu em seu novo filme, *A revolução feliz*.

— Se esses brutamontes fossem cães, como você lidaria com eles? — perguntei ao Sobrevivente.

— O fato é que cães nunca cometeriam um crime desses.

— Ainda assim, os líderes do comitê estão fazendo um ótimo trabalho. Eles pegaram o touro pelos chifres e estão decididos a resolver esse problema pessoalmente.

— Claro, o editorial do jornal de amanhã alegará que o secretário do comitê municipal do Partido deixou seu leito de doente para correr até aqui e colocar um fim a essa baderna de vândalos. Vocês são criaturas baixas, muito inferiores a nós, cães. Tentam adotar nosso comportamento civilizado e nosso senso de moralidade e justiça, mas no fundo só pensam em dinheiro e cupons de comida.

O cachorro pareceu ignorar por um momento o barulho que se elevava das ruas abaixo. Ele desviou os olhos.

— Pode me fazer um favor? — pediu ele, baixando o olhar para a multidão. — Eu vi alguns restos de costelas num lixo da rodovia Sirva ao Povo. Ainda havia um pouco de carne presa aos ossos.

Fiquei em silêncio.

— Obviamente foram cozidas em algum tempero espesso e picante — continuou o cão, ainda desviando os olhos. Ele tomou um gole de água de sua tigela e depois apontou o focinho no ar e farejou a brisa.

— Você ainda não terminou aquele joelho que eu trouxe da cafeteria ontem.

— Estava repulsivo — choramingou ele. — Você sabe que eu não como ossos de carneiro.

— Mas agora eu só consigo ossos no bairro muçulmano. Ele baixou a cabeça novamente e suspirou.

Nas ruas abaixo, a multidão começou a se dispersar como um enxame de formigas. Mais policiais e oficiais de segurança chegaram à cena. Depois, um regimento de soldados do EPL, liderados por dois tanques do exército, apareceu do nada e começaram a enxotar as hordas ainda presentes recitando “O socialismo bom!” com fortes sotaques de Henan.

— Eles pegaram um dos estupradores! — gritei.

— Você viu aquela gente se manifestando nas ruas na semana passada? — O cão parecia distraído. Provavelmente ainda estava pensando nos restos de costelas da lata de lixo.

Uma imensa nuvem cinza avançou no céu e as ruas escureceram. A garota foi envolvida num cobertor e escoltada até uma viatura policial. Na passarela sobre o cruzamento, a reunião dos líderes se aproximava de uma conclusão.

— Ela não deveria ter usado aquela saia justa — murmurei. — Nenhuma das mulheres no nosso museu tem permissão para usar saias justas.

O cão ergueu os olhos para as nuvens e disse:

— Em dois minutos, a chuva cairá. Foi a baixa pressão atmosférica desta manhã que fez com que aqueles rapazes perdessem a razão.

Gotas de chuva rasgaram o céu ensolarado como fios de náilon. O cão sacudiu a água de seu pelo e ficou de pé.

— A chuva é limpa, mas, quando chega à terra, torna-se lama — refletiu ele.

— Por que não desfrutar da visão da chuva, e esquecer a lama?

— Eu vivo nas nuvens, então é claro que só posso ver a chuva. Mas seus pés estão presos ao chão, então você não pode ignorar a lama.

— Vocês, cães, são tão sortudos. Podem perambular pelo mundo sem qualquer preocupação, enquanto nós temos que passar nossos dias ganhando dinheiro para pagar o aluguel, comprar casacos, capas de chuva e roupas térmicas. Se quisermos conservar nossos empregos, temos de controlar nosso comportamento e reprimir os voos de imaginação e as meditações reacionárias a que vocês se dedicam. Temos que estudar os jornais todos os dias para garantir que seguiremos a linha política correta. Nossas peles são tão finas que precisamos usar roupas, e, quando essas roupas são arrancadas de nós, ficamos como porcos nus, ou como aquela garota na rua ali embaixo. Dependemos de nossos envoltórios elegantes. Temos que esconder nossas verdadeiras naturezas se queremos sobreviver.

— Por sua voz, parece que você pegou um resfriado — resmungou o cachorro, sem prestar atenção alguma ao que eu tinha dito.

Quando voltei da conferência e descobri que o Sobrevivente morreu, meu espírito se estilhaçou. Todos os dias eu olhava para meu pincel, mas era incapaz de erguê-lo à tela. Eu ansiava por contrair uma doença fatal ou perecer em algum desastre natural. Se eu fosse alcoólatra, teria bebido até perder a consciência; que ótimo seria isso. Para me impedir de sonhar com ele à noite, virei minha cama ao contrário, de modo que minha cabeça apontasse para o sul. Li numa revista que isso afasta os pesadelos e que também melhora a pele e atrasa a chegada dos cabelos brancos. Embora eu, de fato, tivesse menos pesadelos depois disso, meus sonhos se tornaram mais eróticos. Certa noite, sonhei que estava voando pelo céu, perseguindo o traseiro de uma garota gorda. Depois que o agarrei, descobri que pertencia à mulher que arranca as plumas dos patos mortos na cafeteria do museu.

Desde que o Sobrevivente morreu, não chorei nem uma vez, nem encontrei um infortúnio que me permitisse libertar uma forte emoção. O mundo continuava da maneira habitual. Embora tivessem mais de 80 anos, meus pais gozavam de boa saúde. Meus colegas de classe ainda estavam levando vidas embotadas e insossas. O suicídio de minha namorada quase desaparecera de minha mente. Fora eu, todos pareciam estar em paz consigo mesmos.

Em memória do olhar perspicaz do cachorro, comprei para mim um telescópio. Agora posso ver o mundo dos homens como ele via. Às vezes até faço comentários sobre eventos que acontecem no mundo abaixo.

A cidade está quieta e ordeira, agora. Caixas de cor vermelha foram agregadas a cada esquina para recolher denúncias de cidadãos sobre comportamento incivilizado. O comitê municipal do Partido proibiu que os pedestres gritem, riam ou corram nas ruas, e insiste que eles só caminhem ao ar livre em grupos de menos de quatro pessoas. Se um grupo exceder quatro membros, terá que se repartir em dois. O comitê também determinou que trupes culturais visitem unidades de trabalho locais para educar os funcionários nas virtudes do comportamento educado e para avaliar sua compreensão da cidadania moderna. Nossa unidade de trabalho não conseguiu se classificar porque dois velhos camaradas do departamento financeiro caminharam pela rua com passos que foram julgados muito largos ou muito curtos.

Quando baixo os olhos do terraço, os pedestres me parecem circular pelas ruas tão vagarosamente quanto vermes. O único momento em que vejo uma aglomeração é pela manhã, quando os aposentados fazem seus exercícios no parque do Lenço Vermelho.

Muitas vezes me sento no terraço, observando as nuvens no céu azul. Elas parecem estar congeladas na mesma posição há meses. Agora estou pintando novamente, mas minha inspiração se foi. Mexi por tanto tempo na tela sobre meu cavalete que ela parece um avental sujo, a distância.

Outro dia, peguei emprestado o violão de um velho colega de classe e toquei uma canção de luto junto à casinha, no lugar em que eu costumava me sentar e papear com o cachorro. Dedilhei as cordas e as finas notas pairaram no ar. Toquei novamente, mas na segunda vez as cordas não produziram som algum. Ao anoitecer, o chefe do departamento de segurança do museu apareceu e me disse para não tocar meu violão no terraço novamente. Ele revelou que o Departamento de Segurança de Estado confiscou o som de meu instrumento e que de agora em diante eu teria que me contentar em ouvir o rádio. Ele me tirou o violão, mas, para meu grande alívio, não me pediu para escrever uma declaração de autocrítica.

Quem dera o Sobrevivente pudesse ver como as ruas estão limpas agora. Ele não reconheceria o lugar. Muitas vezes relembro aquelas tardes quentes de verão, quando nos deitávamos no terraço com a brisa do mar afagando seus pelos e minha pele. Ele me apresentava sua visão canina do mundo e criticava os seres humanos por não serem mais semelhantes aos cães. Isso me irritava. Já que os cães não dirigem carros nem usam roupas, ele argumentava que os carros eram desnecessários e as lavanderias constituíam uma perda de tempo.

— E seus filmes são tão barulhentos — comentou ele certa noite — que me dão dor de cabeça.

— Por graça, Deus nunca deixou que os cães governassem o mundo.

— O hábito humano de ficar em pé é repulsivo. Seus líderes se dirigem às multidões com os peitos e os genitais em total exibição. Quando queremos falar, nós só levantamos nossas cabeças. É muito mais educado dessa forma. — Ele então delineou as políticas que um futuro governo canino instauraria para reformar o comportamento humano.

— É verdade que nossos líderes se dirigem ao povo de pé — admiti —, mas pelo menos nós temos educação suficiente para usar roupas. Vocês podem até se dobrar à frente quando conversam, mas todo mundo ainda pode ver os genitais pendurados entre suas pernas. Se chegar um dia em que os cães tomem o poder, eu prefiro subir no meu teto e virar um rato do que me submeter ao seu governo.

— Pelo menos os cães fariam um trabalho melhor em governar este país do que o seu governo fez. — Quando as estrelas saíam à noite, os olhos do cachorro ficavam luminosos e penetrantes.

— Nós transcendemos o mundo animal por meio da invenção da fala. Veja nossas magníficas bibliotecas! — argumentei, apontando para a biblioteca pública sob os holofotes lá embaixo.

— Nós, cães, aprendemos por meio da lenta acumulação de experiência. Somos mais sensíveis e astutos que vocês. Por exemplo, sei como será o tempo amanhã, quando o próximo terremoto vai acontecer, quais cogumelos são venenosos e para onde cada pessoa está indo. Nós deslizamos sem esforço por este mundo, aprendendo enquanto avançamos.

Mas o homem leva vinte anos até saber o bastante para poder sair de casa. A maioria dos cães já está morta com essa idade. Um cãozinho de três meses sabe mais do que qualquer de seus professores universitários. Os cães não precisam de faculdades ou bibliotecas; de bom grado deixamos esses lugares para vocês perderem seu tempo.

— Quando vocês tomarem o controle, os cães terão permissão para casar? — perguntei.

— A vida sexual dos cães é sazonal; só acasalamos durante a primavera. E quando chegarmos ao poder, preservaremos este costume. Seu desejo sexual excessivo é a raiz da instabilidade social de hoje. Veja esse prédio na nossa frente! Neste momento, do térreo ao oitavo andar, quase todos os casais estão acasalando. Aqueles dois no terceiro andar já fizeram duas vezes esta noite. Fizeram o mesmo na noite passada e na noite anterior, com apenas algumas mudanças de posição, só isso.

O prédio na frente era o bloco de apartamentos da equipe do departamento cultural municipal. Quando as luzes se apagavam em cada quarto, o cão sentia o cheiro acre de fluidos corporais emanando das janelas abertas.

— Eu gosto muito daquele homem que mora no oitavo andar — confessou o cachorro. — Quando ele abre a janela, posso sentir o cheiro forte da tinta junto aos livros mofados sobre sua mesa. Há meses que ele não dorme com uma mulher, mas, nas noites de domingo, deliciosos aromas de carne e peixe sempre fluem de sua sala.

— Ele é meu amigo; um escritor profissional. Seu salário nunca lhe permitiu sustentar uma esposa.

— Bem, você consegue me sustentar com seu ínfimo pagamento — comentou ele, culpado. — Há uma mulher ali embaixo que está apaixonada por ele, embora ainda esteja saindo com outros homens. Posso ver suas ondas cerebrais correndo na direção da sala dele agora mesmo.

Olhei para onde o cão estava apontando.

— Está falando daquele prédio antigo, ali? — perguntei.

— Ela passou as últimas noites bebendo com um fumante compulsivo. Quando a fumaça de tabaco e os eflúvios do álcool se misturam, fica um cheiro de carne de cordeiro velha.

À noite, a cidade parecia fria e desolada. O Sobrevivente descobriu que as pessoas são mais ativas quando deitadas no escuro do que com as luzes acesas. O barulho das cópulas e os odores ácidos de fluidos corporais por vezes revoltavam seu estômago.

— Não posso tolerar quando não há brisa à noite — disse ele.

— Os homens jamais concordariam em abandonar os prazeres do casamento.

— Tudo que vocês querem é comer, fazer sexo e ir às compras. Todas essas atividades requerem a participação de outros, não apenas de uma pessoa, mas de um monte delas. Vocês precisam se apinhar em cidades e vilas para escapar do vazio de seus corações.

— Eu trabalho até os ossos por você, para cuidar de todas as suas necessidades.

— Tudo que você faz é me trazer um pouco d'água a cada manhã. E você sempre acaba bebendo um pouco.

— Pense na quantidade de vezes que tive que limpar suas sujeiras! Quando mijou na porta de entrada na semana passada, você virou minha bacia de roupas sobre a poça, tentando escondê-la de mim, e mesmo assim eu limpei a sujeira para você.

— Você destruiu meu penico naquele dia... Não tive alternativa além de mijar no chão.

— Que tal colocar aqueles pedaços de ossos de volta no seu prato?

— Pode me passar minha tigela d'água, por favor?

Ele colocou a boca na tigela e tomou um grande gole. Depois, ergueu os olhos e disse:

— Está quente hoje. Quem dera você soubesse como me sinto desconfortável nesta capa de pelos.

— Há um ventilador no meu escritório. Ele faz uma boa brisa.

— Eu adoraria ter a chance de me sentar na frente dele. — Quando o cão mergulhava em fantasias, sua cauda começava a sacudir por vontade própria.

— Você sabe que eu jamais poderia deixá-lo sair deste terraço.

Ele lambeu a água da boca e depois se insinuou para perto e começou a lamber meus pés.

— Não seria seguro levá-lo para baixo — continuei, afastando meu pé. — As ruas estão cheias de policiais, mesmo à noite.

Ele torceu a cabeça sedutoramente e insinuou:

— Então procure uma companhia para mim...

Soltei uma gargalhada.

— Você quer uma cadela, não? Seu safado!

Ouvindo isso, ele saltou com empolgação no meu colo, quase me derrubando no chão.

(— Infelizmente, nunca consegui satisfazer esse desejo dele — admitiu o pintor ao escritor. — Em toda a sua vida, ele nem sequer chegou a conversar com um membro de sua própria espécie, que dirá fazer alguma outra coisa...

O escritor ergueu os olhos para o pintor e disse:

— Você deve ter muitas saudades dele.)

Quando penso nos dias que passamos juntos, meu ânimo melhora um pouco. No último sábado, compareci à reunião política semanal no trabalho e, como sempre, passei o tempo conversando com o cão na minha cabeça. O presidente usava um microfone novo em folha, mas seu discurso continuava tão monótono quanto de costume.

— ...Nosso Partido tem um futuro glorioso. Sim. O último relatório do Camarada Deng Xiaoping destacou esse ponto de maneira inequívoca. Nosso Partido está passando por mudanças, enormes mudanças. O centro do Partido afirmou que os três setores da sociedade têm igual importância, e esta é a visão do Partido como um todo, bem como do povo. Sim. Nossa determinação não pode vacilar. Cinco anos podem parecer longos, mas asseguro a vocês que passarão bem rápido. A guerra contra o Japão durou apenas oito anos... — Metade da plateia no salão fitava o presidente de pé no palanque, a outra metade fechava os olhos e se refugiava em seus pensamentos. Três mulheres nos fundos pegaram seu tricô e papeavam em voz baixa. — Nossa nação está unida no presente. Camaradas, temos que lutar para... — De repente, o microfone soltou um assovio ensurdecedor. O presidente levou um susto tão grande que deixou cair no chão sua xícara de chá e ela se fez em pedaços. Todos os olhos no salão se concentraram nos fragmentos estilhaçados. Ainda faltava uma hora e meia para o fim. — O tempo é curto, camaradas, então vou me apressar e pular para o quinto ponto. Nosso Partido superou muitas dificuldades durante os três anos de desaceleração econômica. Isso prova que não há crise que o Partido não possa resolver. Pensem nisso, camaradas: se não fosse pela liderança do Partido, nossa nação estaria se movendo para trás, sim, para trás. Nosso Partido é o melhor partido do mundo. Está profundamente enraizado nos corações e mentes do povo...

Por mais que eu tentasse, não conseguia me concentrar nas palavras dele. Temo que minha resolução política esteja enfraquecendo. No passado, eu costumava ler atentamente cada documento que meus líderes me enviavam. Acatava cada decisão que eles tomavam sobre minhas relações pessoais e meus estudos políticos. Fui um dos afortunados; meus pais entraram no Partido antes da Libertação e viveram numa área controlada pelos soviéticos, e por isso eu fui absolvido de comparecer aos campos de reeducação para onde meus colegas foram enviados. Na escola, eu era tão magro quanto um pepino seco e era o garoto mais baixo do período, mas, devido ao passado de minha família, fui nomeado presidente da união estudantil na primeira semana do semestre. Levei a posição muito a sério e participei de todas as atividades escolares. Pela manhã, eu corria duas voltas na quadra esportiva para dar um brilho saudável à minha pele, e à noite praticava meus discursos políticos. Depois que deixei a escola, tornei-me mais consciente. Quando o Premiê Zhou Enlai anunciou que fumar era patriótico, fumei dez cigarros num dia, mas à tarde me senti tão enjoado que tive que ser carregado para uma enfermaria. Aquela amostra de patriotismo foi quase suficiente para assegurar minha filiação ao Partido. Mas, infelizmente, nunca consegui adquirir um vício em tabaco.

Depois do incidente do estupro, o cão às vezes me perguntava quando a passarela para pedestres seria oficialmente aberta. Em algumas ocasiões, eu lia artigos do jornal local para ele em voz alta. Em certa noite, quando as vozes dos guardas de trânsito estavam reverberando acima do barulho das ruas abaixo, li em voz alta um artigo intitulado "Boas Perspectivas para a Passarela". Assim dizia: "Após receber 170 reclamações do público envolvendo a construção da passarela, ontem as autoridades provinciais enviaram uma equipe até o local para investigar o problema. Os 13 membros da equipe prometeram avaliar a situação objetivamente e rejeitar quaisquer propinas ou tratamentos especiais. Eles cumpriram com sua palavra. Depois que chegaram à estação de trem, eles declinaram de usar as limusines enviadas pelo comitê municipal do Partido e, em vez disso, decidiram se deslocar até o local em ônibus público. As multidões que encontraram no caminho aprovaram sua atitude frugal e correta. Quando chegou ao local, a equipe perguntou sobre o número de incidentes de tráfego que tinham ocorrido sob a passarela naquele mês. Os membros visitaram o recém-instalado centro de resgate e determinaram que um médico que se recusara a tratar do ombro deslocado de um acidentado deveria ser mandado para interrogatório. Em seu relatório final, a equipe destacou que as reuniões de estudos políticos que ocorrem no centro de resgate nas tardes de segundas, quartas e sextas criam graves distúrbios para o atendimento médico, e sugeriu que esse assunto fosse avaliado..."

— Parece que a equipe de investigação resolveu muitos problemas — comentei, erguendo os olhos da página.

— Para começo de conversa, se eles não tivessem construído aquela passarela, não teria havido tantos acidentes — reclamou o cachorro.

— Pelo menos as autoridades municipais estão trabalhando duro para endireitar as coisas.

— Claro, eles percebem que a única forma de resolver esse problema agora é correr e abrir a passarela para o público.

Por acaso ele realmente imaginava que o comitê municipal do Partido tinha o poder de decidir quando a passarela seria aberta? Ele era tão inocente. Somente o Comitê Central podia tomar tais decisões. Eles eram responsáveis por dirigir todo o país — tinham assuntos muito mais urgentes a resolver que o problema da passarela para pedestres.

— Você não compreende a diferença entre os mais altos escalões e o povo? Os cães teriam a ousadia de questionar seus superiores? Sua arrogância é monstruosa. Nossos líderes construíram a passarela para desafogar os congestionamentos. Como ousa virar as coisas do avesso e alegar que eles são culpados pelos atuais problemas de tráfego? — perguntei.

— Você leva uma vida infeliz. Não é muito melhor que a vida de um cachorro.

— E você não sabe que, quanto mais infeliz se é, mais tempo se vive? — retruquei, exasperado por sua ignorância.

O Sobrevivente sempre gostava de assistir aos acidentes que aconteciam nas ruas abaixo. Certa vez, ele previu que mais de trezentas pessoas morreriam no ano em acidentes de tráfego causados pela construção da passarela para pedestres. Eu jamais o perdoarei por esse erro.

Admito que a construção da passarela levou a um aumento dramático de mortes na estrada nos primeiros dias. Querendo fazer uma travessia segura, os pedestres eram atraídos para a construção, mas terminavam se lançando no ponto mais movimentado do cruzamento ao descobrir que ela ainda não estava aberta ao público. O Sobrevivente me disse que podia ver os fantasmas dos mortos flutuando entre as pernas de concreto da passarela.

Contudo, após o incidente do estupro, os dirigentes da cidade tomaram medidas para minimizar o problema. Eles ergueram abrigos de metal na passarela para comportar um centro de resgate médico. Qualquer vítima de acidente na rua abaixo é imediatamente levada para o centro de resgate e recebe cuidado emergencial gratuito. O esquema vem sendo um grande sucesso. O comitê municipal do Partido elogiou a contribuição dos enfermeiros para o humanitarismo revolucionário e concedeu prêmios e certificados de mérito. Embora o prazer de cruzar a rua usando a passarela ainda seja negado aos cidadãos, e as pessoas continuem a morrer esmagadas pelo tráfego movimentado, a passarela tem seus méritos. Quando meu colega quebrou a perna no trabalho, ele conseguiu enfaixá-la de graça no centro de resgate da passarela.

Eu presto frequentes visitas ao Sobrevivente no museu para contar sobre o grande progresso que vem ocorrendo, mas tenho que tomar cuidado para que meus colegas não vejam — eles vivem fazendo piadas às minhas custas. Certa vez, eles me viram comendo um bolo de carne no almoço e disseram:

— Tome cuidado, isso é carne de cachorro. — Depois disso, passei dias sentindo náuseas.

Quando estava vivo, o Sobrevivente profetizou que a passarela não seria aberta ao público antes de 1992, mas ainda falta um ano e meio até lá e já há sinais de que a abertura oficial ocorrerá em breve: os vigias temporários da passarela foram substituídos por uma equipe de manutenção, e os guardas de trânsito do local receberam uniformes novos em folha.

A princípio, a abertura da passarela estava marcada para o ano passado, no primeiro aniversário da morte do cão. O Comitê Central quis fazer da passarela um símbolo da Política de Portas Abertas. Eles decidiram que a abertura deveria ser articulada com a visita de Ceausescu à China, e que deveria se chamar Passarela da Amizade Sino-Romena. Eles exigiram que os dirigentes da cidade tomassem medidas extremas para assegurar que a inauguração fosse um sucesso. As autoridades adornaram as grades com pequenas bandeiras vermelhas em preparação para a chegada de Ceausescu, convidado a inaugurar a passarela durante uma visita para celebrar a irmandade deste município com uma cidade industrial de seu país. O governo destacou engenheiros para procurar bombas ocultas no local, e seguranças à paisana patrulhavam as ruas das cercanias para garantir que ninguém colasse cartazes contrarrevolucionários nas paredes. Contudo, infelizmente, Ceausescu foi assassinado alguns dias antes da data da viagem, e por isso a cerimônia teve de ser cancelada.

Quando a campanha Aprendendo com Lei Feng foi lançada, uma cabine de transmissão foi construída na passarela ao lado das cabanas de metal, e todos os cidadãos que não tinham condições de comprar um rádio pularam de alegria. As pessoas podiam parar nas ruas e ouvir as transmissões de graça. Elas escutavam músicas revolucionárias, programas da Companhia de Televisão dos Povos da China e até boletins meteorológicos internacionais.

Durante aqueles meses, as ruas ficaram lotadas de gente tentando desesperadamente emular Lei Feng. Ficavam de olho o tempo todo, procurando uma chance de realizar uma boa ação. Era só uma pessoa tropeçar num meio-fio ou carregar uma bolsa de aparência pesada para que alguém corresse para oferecer ajuda. E não havia nenhuma chance de se perder alguma coisa.

Um dia, um lápis caiu do meu bolso e, antes que eu percebesse, três crianças correram, pegaram o lápis e disseram:

— Tio, você perdeu uma coisa. — Depois elas sorriram com doçura e bateram a continência dos Jovens Pioneiros.

Peguei o lápis e respondi (exatamente como o jornal mandava):

— Obrigado, pequenos camaradas. Vocês são verdadeiros Lei Fengs em miniatura.

— Não há de quê! — devolveram eles em uníssono. — Só estamos cumprindo nosso dever!

— Digam-me, de que escola vocês são? Eu gostaria de informar ao diretor sobre seu comportamento exemplar.

— Aquele que faz uma boa ação jamais deve dizer seu nome — recitaram as crianças, e depois deram meia-volta e correram de volta ao fim da rua para esperar a próxima presa, exatamente como os Jovens Pioneiros dos filmes de propaganda política.

Todos podemos aceitar que pegamos um caminho errado, mas ninguém suporta chegar a um beco sem saída. Quando o Sobrevivente estava vivo, eu me sentia confuso por tudo — inclusive por ele. Perdi meu caminho. Mas, depois que ele morreu, descobri que não tinha para onde ir. Não havia esperança para mim, nada para vislumbrar. Ele destruiu tudo em que eu acreditava.

Um dia, o cão me disse:

— Seus superiores decidem tudo para vocês, em que emprego devem trabalhar, com quem se casar, quantos filhos ter. Vocês não acreditam nem um pouco em seu poder de controlar seu destino. Sua vida é tão embotada e monótona que vocês jamais teriam força suficiente para olhar a morte na cara se não fossem submetidos a várias dificuldades e tribulações. — O cachorro pronunciou essas palavras no terraço, a cabeça emoldurada pelo azul celeste. A fumaça que subia das chaminés às suas costas tinha o cheiro do vapor azedo que emana do tofu fermentado. Em contraste com o céu azul, a fumaça era de uma brancura ofuscante.

— Acho que peguei um resfriado — disse o cachorro. — A brisa aqui em cima me faz mal à saúde.

Ele havia aprendido esta última frase comigo.

Ainda não sei como ele morreu.

Às vezes acho que ele deve ter pulado do telhado. Eu o imagino fugindo pelo terraço e depois recuando para a beirada quando o velho carpinteiro e os outros dois membros da brigada de extermínio de cães se aproximavam, seguidos de um bando de Jovens Pioneiros brandindo lanças e pás. Ou então foi laçado com uma corda e arrastado pelas escadas abaixo, ou espancado até a morte ali no local. Suas garras e dentes afiados não puderam protegê-lo dos agressores. Uma vez que eles decidiram que o cão tinha que morrer, não havia mais nada que ele pudesse fazer.

Meu cachorro de três pernas jamais gostou dos Jovens Pioneiros. Ele dizia que, após anos ouvindo instruções de que deveriam sacrificar suas vidas pela Revolução, essas crianças se tornavam pequenos brutamontes a quem faltava todo senso de moralidade ou decência comum.

— São crianças — respondi. — Temos que perdoá-los. A infância é sagrada.

Ele crispou os lábios e, olhando para a rua abaixo, comentou:

— Está vendo aquelas crianças zombando do homem cego? Veja as caretas que fazem! Se amanhã o professor lhes der ordem de realizar boas ações, elas vão brigar pela chance de agarrar a mão do cego e ajudá-lo a atravessar a rua.

Embora os rostos das crianças fossem apenas um borrão, eu podia vê-las atravessando o caminho do cego, fazendo movimentos de karatê que copiavam dos filmes de artes marciais. Depois o cão perguntou:

— Se você tivesse que escolher entre mim e uma criança, quem salvaria?

Eu não soube responder. Mesmo hoje, não seria capaz de dar uma resposta àquela pergunta. Naturalmente, eu deveria colocar uma vida humana acima da vida de um cão, mas meus sentimentos pelo Sobrevivente excediam em ampla medida qualquer coisa que eu sentia por aquelas crianças na rua, e eram ainda mais fortes que os sentimentos que tive por minha namorada. Se crianças foram, de fato, responsáveis pela morte do sobrevivente, sei que ele não reagiu. Ele poderia arrancar uma perna delas se quisesse, mas teria preferido sofrer em silêncio a lhes causar algum mal.

Quando retornei da conferência, fiz uma inspeção completa em seu corpo, tentando descobrir a causa de sua morte. Ele cheirava a formol, mas não havia feridas em sua pele. Eu o afaguei nas costas e disse:

— Veja, não é verdade que machucaram você! Por que anda mentindo para mim em meus sonhos?

Algumas semanas depois, voltei à oficina para falar com o carpinteiro. Quando entrei na sala, ele estava pregando a pele de um tigre de Dongbei numa estrutura de madeira. Perguntei a ele como o cachorro de três pernas tinha morrido. Esticando a pele do tigre na moldura, ele sorriu amigavelmente e respondeu:

— Um cachorro de três pernas? Eu já vi um burro e um touro de cinco pernas. Haha, a quinta perna tinha metade do tamanho das outras! — Ele soltou uma gargalhada e fez um gesto obsceno sobre a pelve.

Estou convencido de que o Secretário Wang sabe exatamente como o cachorro morreu. Suspeito até que ele tenha planejado o assassinato pessoalmente, afinal, ele é o secretário do Partido no museu. Talvez ele tenha usado esse episódio para testar minha lealdade ao Partido. Não é possível que ele não soubesse que eu estava criando um cachorro no telhado. No começo, o secretário deve ter decidido relaxar e esperar até que eu confessasse meu crime. Mas, quando viu que eu estava cometendo um erro atrás do outro, ele me mandou para uma conferência e se livrou do cachorro quando eu estava viajando. Quando voltei de minha viagem, ele convocou uma sessão extraordinária da célula do Partido e pediu aos membros que se apresentassem e dessem suas opiniões sobre meu relacionamento com o cachorro.

Eu contei o que estava acontecendo ao Sobrevivente empalhado quando o visitei novamente na oficina.

— Os órgãos mais altos estão me colocando à prova. Na reunião anterior à minha viagem, eles perguntaram se algum camarada tinha algo que queria revelar. Eu deveria ter confessado tudo sobre você ali mesmo. Você teve a audácia de criticar minha namorada por cometer suicídio, e depois vai e morre também!

— Você a amava? — perguntou subitamente o cão empalhado. — Não se sente responsável pela morte dela? Por que ela estava tão decidida a jogar a vida fora? Como você pôde deixar que sua namorada fizesse aquilo? O que ela estava tentando lhe dizer?

Suas perguntas me deixaram sem fala. Eu me lembrei de quando a conheci, quando eu era presidente do grêmio estudantil da escola. Se não tivesse me envolvido com ela, provavelmente teria entrado no Partido naquele ano. Depois que me formei na universidade, recebi um quarto no bloco de dormitórios da equipe e nossa amizade se aprofundou. Ela me visitava todos os dias e ficava até as 22 horas, saindo discretamente antes que o segurança trancasse os portões da frente. Em meu quarto escuro, eu repousava a cabeça no ventre dela e ouvia os roncos de seus intestinos. Ela se deitava na minha cama e se entregava a mim. Mas até hoje eu não sei o que amava nela. Ela era uma mulher, era minha namorada, mas, se tivesse sido qualquer outra mulher, será que eu teria sentido alguma diferença? Como eu teria reagido se meus líderes não aprovassem nosso relacionamento? (Ela ainda estava na escola de teatro naquela época, e seu estilo de vida não era exatamente perfeito.) Pouco antes de sua morte, seus olhos viviam repletos de bondade e boa vontade. Eu me perguntei se ela esperava que eu corresse para resgatá-la.

— Então, por que você não tentou? — perguntou o Sobrevivente.

— Cheguei a ficar de pé por um momento. Mas faltei a uma reunião política do trabalho naquele dia e, se vazasse a notícia de que eu não estava doente coisa nenhuma, mas que tinha ido ao espetáculo, eu estaria em terríveis apuros. Ela sabia muito bem que os órgãos mais altos estavam avaliando minha inscrição para entrar no Partido.

— Você teria que ser responsabilizado pela morte dela.

— Não, minha única responsabilidade é para com o Partido — retruquei, recusando-me a lhe dar razão.

Mas ainda há uma questão que me intriga e que suspeito ter contribuído para a morte do cachorro. Depois que parti para a conferência, o cão conseguiu subir de algum modo na prateleira mais alta e trazer para baixo aqueles livros insalubres que apenas um grupo seleto de oficiais tinha permissão de "Ler e Criticar". Eles contêm os pensamentos reacionários de Nietzsche, Schopenhauer, Freud e o mui desacreditado Hegel. O pobre cão estava completamente despreparado para essas ideias — ele nunca tinha comparecido a qualquer reunião política, e até defendia a opinião reacionária de que o marxismo-leninismo estava ultrapassado! Aqueles livros corromperam a mente de muitos poetas e estudantes universitários (inclusive minha namorada), levando-os a uma vida de decadência e fazendo com que perdessem seu sentido normal de racionalidade. O cão deve ter sentado no canto e lido cada um dos malditos livros. Se isso realmente aconteceu, então certamente eu me considero responsável por sua morte.

Agora que ele se foi, não tenho mais utilidade para os ossos descartados da cafeteria. Contudo, nas horas das refeições, ainda procuro por eles embaixo das mesas; quando ninguém está vendo, eu chuto os ossos na minha direção, depois os envolvo num jornal e os levo para casa comigo. Essa não é uma forma normal de se comportar. Claro, no fundo eu sei que agora o Sobrevivente é apenas um espécime empalhado, mas meus sentimentos por ele não podem mudar da noite para o dia. Ao entardecer, espero pela chegada da escuridão e depois vou até a beira do terraço e atiro os ossos nas ruas lá embaixo.

O terraço parece vazio sem ele. Sua ausência pesa terrivelmente em meu coração. Minha vida se tornou desordenada e meu quarto já não é tão limpo como na época em que o cão estava por aqui. Agora, ratos saltitam pelas vigas de metal do teto e caem direto em minha cama quando se cansam. Quando o cachorro estava vivo, os camundongos só ousavam fazer suas caminhadas tarde da noite, quando ambos estávamos dormindo, e nunca se aventuravam para muito longe do rodapé. Agora, grandes aranhas caminham pelas vigas enferrujadas, às vezes se pendurando para roubar um pedaço de bolo. A poluição lá fora parece piorar a cada dia. Uma espessa camada de poeira se depositou sobre o terraço e o ar tem cheiro de plástico queimado. À noite, eu fecho a porta e fico dentro do quarto. Se eu olhasse pelo telescópio, poderia ver todas as coisas que se passam entre as pessoas lá embaixo, mas, sem o cão a meu lado, elas me pareceriam estúpidas e sem sentido. Além disso, desde que foi lançada a campanha Aprendendo com Lei Feng, as ruas se tornaram tão organizadas que não há muita coisa para ver.

Na semana passada, resolvi confessar a meus superiores todos os pensamentos insalubres que andaram correndo por minha mente ao longo dos últimos anos, e prometi que me alinharia completamente com o Partido e seus mais altos órgãos no futuro. Na sessão extraordinária da célula do Partido no museu, o Secretário Wang pediu a mim e a outros três colegas cuja filiação ao Partido também estava sob avaliação que apresentássemos autocríticas sobre nossas ideias e admitíssemos os erros que cometemos contra o Partido durante o ano. A jovem universitária confessou que tinha lido o romance pornográfico *Pensamentos de uma moça*, e implorou que os altos escalões tomassem medidas disciplinares contra ela. O velho carpinteiro admitiu que construiu a gaveta mais alta de sua cômoda com uma tábua de madeira estatal, e pediu aos líderes que aceitassem suas sinceras desculpas. Sing Juhua, do departamento financeiro, ainda se desculpava por ter concebido um filho fora do casamento três anos antes. Quando chegou minha vez, confessei todas as opiniões reacionárias que eu e o cachorro já havíamos pronunciado. Minha mente estava extraordinariamente clara. Eu lhes contei cada erro que cometemos, sem omitir um único detalhe. Senti uma imensa onda de alívio. Os dirigentes permaneceram em silêncio ao longo de meu discurso e, quando acabei, apenas disseram que precisavam ir embora e avaliar o assunto.

Desde minha confissão, aquela expressão triste desapareceu dos olhos de vidro do Sobrevivente. Embora ele esteja morto, sua pele ainda vive, e para sempre viverá. Ele jamais terá que se esconder das vistas do público novamente. É um sobrevivente que enxergou através da névoa vermelha deste mundo. Ele trouxe glória para nossa cidade quando fez parte da exposição em Pequim. Todos aqui começaram a falar de meu cachorro de três pernas. As pessoas que chegam em viagens de negócios ouvem falar do cachorro assim que saem do trem. Os turistas fazem passeios especiais para visitá-lo no museu. Sua foto apareceu em muitas revistas. Eu recorto e colo cada uma em minha parede. Agora ele finalmente pode mostrar seu rosto para o mundo. As multidões que ele tanto desprezara quando vivo agora são suas maiores admiradoras. O secretário Wang ficou tão impressionado com a habilidade do carpinteiro em criar uma peça tão viva que o destacou diversas vezes para elogios, e mais tarde concedeu ao Sobrevivente o título de "Animal Empalhado Classe Um".

Enquanto a manhã se aproxima, os pensamentos do escritor se interrompem bruscamente, como um gerador que fica sem combustível. Todas as imagens que correram por sua cabeça desaparecem numa vaga névoa. Ele já havia experimentado tais instantes de calma em outras ocasiões, quando sua mente se desligava momentaneamente da realidade. Mas a calma que sente agora parece ligeiramente diferente. Quando ele fecha os olhos, os personagens que viveram em seu interior por tanto tempo parecem uma massa de pão esticada em mil fios brancos por mãos invisíveis. Ele vê os fios puxados tornando-se cada vez mais finos, até que se partem de repente em um milhão de pedaços e se espalham pelo céu da noite.

— Eu sabia que acabaria desta forma — murmura o escritor para si mesmo. — Tudo fenece e morre. Não há nada que eu possa fazer a respeito...

O doador de sangue observa a sombra angulosa do escritor na parede às suas costas. Agora que as luzes dos prédios lá fora se apagaram, as lâmpadas na sala parecem mais luminosas. O doador de sangue caminha para o toca-fitas e baixa o volume. O escritor se põe de pé e se arrasta em direção ao banheiro como um sonâmbulo. Enquanto ouve sua urina se esparramando na privada, ele torna a sentir o cheiro de sopa de cabeça de peixe. Desta vez, o cheiro não chega da cozinha de seu vizinho, mas sai de dentro de seu próprio corpo. Ele retorna à poltrona lentamente. Agora que o álcool abandonou seus órgãos e evaporou através de seus orifícios e poros, os dois homens parecem flocos de aveia secos e encarquilhados, ou pedaços de carvão queimado.

— Minha maior realização foi minha habilidade em produzir infinitos fluxos de sangue tipo AB — resmunga o doador de sangue, levantando o colete e apontando para o coração. — Meu sangue mudou o curso de minha vida. Deu sentido a ela.

A voz do escritor é agora tão suave quanto a *Missa de réquiem* que reverbera do toca-fitas. Através da melodia etérea da ária, o doador de sangue ouve o amigo dizer:

— As vidas daquelas pessoas estavam condenadas desde o começo. Qualquer fim que eu decida dar às suas histórias não mudará nada. Sou apenas um observador, como aquele cão de três pernas, escondido, à margem. Você é o único que ouvirá essas histórias, mas eu sou o único que pode compreendê-las. Só eu sei a dor que jaz por trás de cada uma delas.

— Meu espírito pode ser fraco, mas minha carne é forte. É por isso que me encaixo tão bem nesta cidade. Mas você sempre será alheio, perdido em suas ilusões. — O doador de sangue diz essa frase num tom condescendente que raramente usara nos últimos sete anos.

— Mas aqueles personagens são reais, eles vivem nesta mesma cidade em que estamos. Talvez eu não os conheça tão bem, e eles provavelmente sabem menos ainda a meu respeito, mas tenho certeza de que existem. Ou talvez eu esteja morto há muitos anos e aqueles personagens sejam meros fragmentos de manuscritos flutuando em algum bueiro distante. — O escritor aperta seu crânio. Logo seus olhos se iluminam por um instante e ele acrescenta: — Garanto que meu romance não escrito terá um valor muito mais duradouro que qualquer livro publicado.

— Eu também tenho muitas histórias para contar — diz o doador de sangue. — Elas estão aprisionadas em mim como água numa chaleira. Talvez seja hora de tentar derramá-las...

O escritor se levanta, coloca as mãos nos quadris e diz:

— Meu sangue não vale nada se comparado àquele meu romance. — Depois, ele olha em torno da sala, começa a farejar o ar novamente e murmura: — A sopa de cabeça de peixe deve ter sido excelente. Até agora sinto seu cheiro...

O cigarro do doador de sangue ainda está aceso. Ele agora parece tão mergulhado em seus pensamentos quanto o escritor profissional, e ansioso por começar a trabalhar em alguma atividade intelectual.

— Quando não nos restam mais forças para lutar contra este mundo brutal, nós nos voltamos para dentro e começamos a nos flagelar — proclama ele, puxando uma última tragada do cigarro. Atirando a guimba no chão e esmagando-a sob a sola do sapato, ele depois atravessa a porta ao lado, adentra o escritório do amigo, senta na poltrona e fita a folha em branco sobre a mesa.

Nos últimos minutos antes do amanhecer, o escritor se agita por toda a sala como um inseto mutilado, sem asas. Depois, sem dizer uma palavra, ele abre a porta da frente, fecha-a silenciosamente às suas costas e desaparece pela escadaria escura.

Este livro foi composto na tipologia Minion,
em corpo 11,5/16, e impresso em papel off-white
80g/m² no Sistema Cameron da Divisão
Gráfica da Distribuidora Record.